LEON CRISTIANI

SANTA TERESA
DE AVILA

SAN PABLO

Título original:
SAINT THERESE D' AVILA

Societé Saint-Paul, París
Versión: por Jesús Sánchez Díaz

Puede imprimirse
Francisco Alcaraz Z.
Provincial de la Sociedad de San Pablo
México, D. F., 14-IV-1982

Nada obsta
Juan Manuel Galaviz H.
Censor eclesiástico
México, D. F., 30-IV-1982

Primera edición, 1963
28ª edición, 2018

D.R. © 1963 by EDICIONES PAULINAS, S.A. DE C.V.
Av. Taxqueña 1792 - Deleg. Coyoacán - 04250 México, D. F

Impreso y hecho en México
Printed and made in Mexico

ISBN: 978-970-612-284-1

I. FAMILIA, INFANCIA Y VOCACION

La familia

En el despacho de una señorial mansión abulense, en las proximidades de las murallas, se halla escribiendo el hidalgo castellano Alonso Sánchez de Cepeda. Tiene ante sí un voluminoso tomo apergaminado. ¿Qué escribe con cara de satisfacción, empuñando una elegante pluma bien cortada de pavo de Indias? Miremos por encima de su hombro, sin que él nos advierta.

"Miércoles de Pasión, 28 de marzo de 1515, sobre las 5 y media, al alborear el día, nace mi hija Teresa. Es su padrino Vélez Núñez. La madrina, Dª María del Aguila hija de Francisco Pajares".

La nota, insertada en el libro de la familia, aún puede leerse ahora por haberse conservado piadosamente, en contra de cuanto cabía esperar, en el convento de las carmelitas de Pastrana.

Probab'emente no escribiría lo que antecede el dichoso padre en la tarde del mismo día en que nació la niña, sino en la del bautismo, es decir, el 4 de abril siguiente, cuando en la iglesia de San Juan, juntamente con el agua regenedora, recibió la preciosa niña gracias muy abundantes de lo Alto.

No pensaría, seguramente, el hidalgo castellano que aquella hijita suya estaba predestinada a ser una gran figura de la historia universal y que, con ella, pasarían a la posteridad los nombres de los demás miembros de la familia.

5

Cuando nació Teresita, su padre tenía tres hijos habidos de su primera mujer, doña Catalina del Peso de San Henao. Al quedarse viudo, contrajo nuevas nupcias con doña Beatriz de Ahumada, joven de sólo quince años, de la que tuvo nueve hijos: Fernando, Rodrigo, nuestra Teresa, Lorenzo, Jerónimo, Antonio, Pedro, Agustín y Juana.

María de Cepeda, la hermana mayor de Teresa, era una muchacha grave, sería, reflexiva, que ayudaba a su madrastra doña Beatriz, en el gobierno de la casa y hacía de verdadera madrecita para Teresa y sus hermanos menores.

Fácil resulta imaginar el ambiente de la casa de los Cepeda: algarabía, disputas de los mayores, lloros de los pequeños, momentos de alborozo general, otros de recogimiento y de oración, una mesa patriarcal bien acompañada de comensales, vagidos de pequeñuelos... En fin, una casa bien completa y bendecida por Dios.

Teresa nos ha transmitido encantadores rasgos de sus padres, a los que amaba con la mayor ternura, propia de su ardiente y sensible corazón. Escuchemos algunos de los elogios que los dichosos progenitores merecieron de hija tan sabia y santa.[1]

"Ayudábame no ver en mis padres favor sino para la virtud: tenían muchas.

"Era mi padre hombre de mucha caridad con los pobres y piedad con los enfermos, y aun con los criados; tanta, que jamás se pudo acabar con él tuviese esclavos, porque los había gran piedad. Y estando una vez en casa una —de un su herma-

---

1. Dado el carácter popular de la presente obrita, al transcribir citas tomadas directamente de "El libro de la vida" escrito por la misma Sta. Teresa, a requerimiento de sus confesores, adoptaremos la ortografía actual.

no— la regalaba como a sus hijos; decía que, de que no era libre, no lo podía sufrir de piedad. Era de gran verdad. Jamás nadie le vio jurar ni murmurar. Muy honesto en gran manera.

"Mi madre también tenía muchas virtudes, y pasó la vida con grandes enfermedades. Grandísima honestidad; con ser de harta hermosura, jamás se entendió que diese ocasión a que ella hacía caso de ella; porque con morir de treinta y tres años, ya su traje era como de persona de mucha edad. Muy apacible y de harto entendimiento. Fueron grandes los trabajos que pasaron el tiempo que vivió. Murió muy cristianamente".

Las anteriores líneas están sacadas de uno de los libros más leídos de la mística Doctora, es decir, de su autobiografía que es una obra comparable a las *Confesiones* de San Agustín. De ese libro nos servimos para la mayor parte de los detalles biográficos que reseñamos a continuación.

Primera formación

Por ser hija del segundo matrimonio de su padre, Teresa llevaba el apellido Ahumada, de su madre, mientras que su hermana mayor tenía el de su padre, Cepeda. Nuestra Santa creció en un clima de dulzura, orden, armonía, trabajo y obediencia. Recibió la educación propia de las chicas de la buena sociedad de su tiempo, pues no olvidemos que su padre pertenecía a la nobleza castellana. A don Alonso Sánchez de Cepeda le gustaba la lectura. Poseía una biblioteca bien surtida. Sentía predilección por los libros de piedad, de ciencia religiosa y por las vidas de los Santos. Pero tampoco faltaban en sus estantes novelas o libros de caballería, que tan acerbamente fustigó el gran Miguel de Cervantes Saavedra con su inmortal "Don Quijote de la Mancha". Teresa aprendió a leer en las rodillas de su madre, y, desde muy pequeñita, mostró gran afición a la lectura. Mientras trabajaba doña Beatriz, hacía que Teresita le leyese las obras que más apreciaba, con lo que iba alimentando a la par su espíritu. La mayoría de estos libros eran novelas caballerescas y vidas de santos.

De la vida de Teresa, contada por ella misma con indecible encanto y maravillosa sinceridad, cabe deducir útiles lecciones acerca de las influencias que se pueden ejercer sobre los niños y las almas en pleno desarrollo.

La vida de los Santos

Sobre la utilidad de la vida de los Santos como tema de lectura, tenemos dos valiosos testimonios de la misma época: el de Teresa, primero, y luego el de Ignacio de Loyola.

Teresa tenía un hermanito al que le llevaba cuatro años, Rodrigo, nombre muy español, y, aunque quería a todos los demás, sentía especial predilección por éste. Mas dejemos que la misma Santa nos cuente lo que hacían juntos y lo que llegaron a tramar:

"Juntábamonos entrambos a leer vidas de Santos; como veía los martirios que por Dios las Santas pasaban, parecíame compraban muy barato el ir a gozar de Dios, y deseaba yo mucho morir ansí (no por amor que yo entendiese tenerle, sino por gozar tan en breve de los grandes bienes que leía haber en el cielo); y juntábame con este mi hermano (Rodrigo) a tratar qué medio habría para esto: concertábamos irnos a tierra de moros, pidiendo por amor de Dios, para que allá nos descabezasen".

¿Quién no se sonreirá ante tan magnífica y pueril ambición? He ahí dos niños que sólo piensan en el martirio. La ciudad de Avila, su patria chica, está situada a unos mil doscientos metros de altitud, en la desnuda meseta de Castilla la Vieja, en la vertiente norte del sistema Central español. Más allá de las montañas piensan nuestros dos niños que está el país de los moros, infieles, donde ha de resultar fácil sufrir el martirio. Proyectan marcharse pronto y a escondidas, sin revelar a nadie el gran designio. Padecer el martirio por la fe es ganar inmediatamente la gloria, el cielo. Teresa, más imaginativa y fervorosa, arrastra a su hermano Rodrigo. Idean ir a la morisma para que allí les corten la cabeza. Reúnen alguna ropa y toman unos pedazos de pan. Se escabullen como pueden y pronto se encuentran en las afueras de la ciudad.

Apenas se han alejado como cosa de dos kilómetros de la casa paterna, saboreando ya en su corazón la dulzura de su heroica empresa, cuando, de improviso, se encuentran con su tío Francisco Alvarez. Algunos azotitos y una orden breve y tajante y pronto los entrega a sus padres, desazonados por la desaparición de los pequeños.

La madre no excusa de hacer a entrambos los reproches oportunos. Rodrigo, sin vacilar, se declara inocente, afirmando que su hermanita es la única responsable de la fuga, puesto que él la ha secundado a repetidas instancias suyas. Teresa explica cándidamente su proceder en estos términos:

"He huído porque deseo ver pronto a Dios, y esto es imposible si antes no muero".

Mas no por eso cesan los dos hermanos su gusto por la lectura de las vidas de Santos y otros libros piadosos. Por el contrario, se enfrascan más en ella. ¿Qué encontraban de atractivo en tales libros? Teresa nos lo dice con palabras muy profundas, dignas de meditarse:

"Espantábanos mucho el decir que pena y gloria era para siempre, en lo que leíamos. Acaecíanos estar muchos ratos tratando de esto y gustábamos decir muchas veces: ¡para siempre, siempre, siempre! En pronunciar esto mucho rato era el Señor servido me quedase en esta niñez imprimido el camino de la verdad".

"*¡Para siempre!*". Desde la primera edad tuvo Teresa la intuición de la grandeza del destino humano. Todo lo que hacemos en esta vida repercute en la eternidad. A cada instante vamos tejiendo el vestido que habremos de llevar cerca de Dios, si es que merecemos alcanzar el cielo. *¡Para siempre!* es el grito del verdadero *realismo*. Sólo es real lo que dura, lo que no tiene fin. Todo lo demás es humo y nada. Teresa aprendió esto desde su infancia por medio de los buenos libros. Las vidas de los Santos le trazaron el camino por el que iba a marchar a pasos agigantados. Por el momento se dedica a reunirse con su querido Rodrigo, tratando de asuntos que a alguien podrían hacer reír, pero sumamente encantadores:

"De que vi —dice ella— que era imposible ir adonde me matasen por Dios, ordenábamos ser ermitaños; y en una huerta que había en casa procurábamos, como podíamos, hacer ermitas, poniendo unas piedrecillas, que luego se nos caían. Y así no hallábamos remedio en nada para nuestro deseo; que ahora me pone devoción ver cómo me daba Dios tan presto lo que yo perdí por mi culpa".

Este final nos señala una nueva dirección en su vida. Pero antes de seguirla en sus nuevas lecturas, creemos oportuno relacionar su caso con el del capitán español que, retenido por las mismas fechas, forzosamente, en su castillo de Loyola, por efecto de una grave herida recibida en el sitio de Pamplona, se entretenía leyendo él también vidas de Santos, para no aburrirse. Ignacio de Loyola le llevaría por lo menos 22 años a Teresa de Ahumada. Tal vez leyesen ambos el mismo libro de entre los de vidas de Santos y que fuese, precisamente, el que les hiciese reflexionar de análoga manera acerca del tiempo y de la eternidad, sobre el sentido de la existencia terrenal y el alcance de la frase: "¡Para siempre!" Teresa e Ignacio, cada cual a su modo, pero con idéntica fuerza persuasiva, nos dicen cuán beneficiosa influencia ejercen en las almas las buenas lecturas.

Como una especie de contraprueba, vamos a ver el efecto que pueden producir, en cambio, las lecturas, digamos, profanas.

Las novelas

Indudablemente no existían en tiempos de Teresa libros tan inmundos como los que hoy padecemos, y, de haberlos habido, seguramente no se habrían encontrado en la biblioteca del piadoso y austero Alonso de Cepeda. Pero en dicha biblioteca, como ya lo hemos dicho, no había sólo libros de piedad o de ciencia religiosa, sino también no-

11

velas de aquella época, es decir, libros de caballerías. Con la misma sinceridad que Teresa nos ha hablado de los benéficos frutos producidos por la lectura de las vidas de Santos, nos dirá lo que sacaba leyendo novelas.

"Considero algunas veces cuán mal lo hacen los padres que no procuran que vean sus hijos siempre cosas de virtud de todas maneras; porque, con serlo tanto mi madre, como he dicho, de lo bueno no tomé tanto —en llegando a uso de razón— ni casi nada, y lo malo me dañó mucho. Era aficionada a libros de caballerías, y no tan mal tomaba este pasatiempo como yo le tomé para mí, porque no perdía su labor, sino que nos desenvolvíamos para leer en ellos. Y por ventura lo hacían para no pensar en los grandes trabajos que tenía, y ocupar sus hijos, que no anduviesen en otras cosas. De esto le pesaba tanto a mi padre que se había de tener aviso a que no lo viese.

"Yo comencé a quedarme en costumbre de leerlos, y aquella pequeña falta que en ella vi, me comenzó a enfriar los deseos y comenzar a faltar en lo demás. Y parecíame no era malo, con gastar muchas horas del día y de la noche en tan vano ejercicio, aunque a escondidas de mi padre. Era tan extremo lo que esto me embebía, que si no tenía libro nuevo, no me parece tenía contento".

Existía, pues, en Teresa, una especie de sangría espiritual, por la que la muchacha dedicaba los sentimientos más íntimos de su alma a los héroes de relatos imaginarios, a seres ficticios, perdiendo el tiempo en una actividad muy alejada de la propia de los santos a los que antes había tomado por modelos. Las buenas lecturas la habían entusiasmado induciéndola al heroismo; las profanas le hicieron olvidar sus grandes deseos de santidad: ya no pensaba en las ermitas ni sentía sed de padecer el martirio. ¿A qué la inclinaban estos otros libros? Nos lo va a decir con su acento característico de sencillez y de verdad.

"Comencé a traer galas y a desear contentar en parecer bien, con mucho cuidado de manos y cabello, y olores y todas las vanidades que en esto podía tener, que eran hartas, por ser muy curiosa".

La coquetería femenina se apoderó de su corazón. Suponemos que Teresa ya no tendría entonces madre, puesto que la había perdido a la edad de trece o catorce años, es decir, por el 1528 ó 1529.

Al quedarse huérfana sintió una gran aflicción, y, como quiera que su madre la había formado en gran piedad, fue a refugiarse con su dolor en el regazo de la santísima Virgen:

"Fuime a una imagen de nuestra Señora, y supliquéla fuese mi madre, con muchas lágrimas. Paréceme que aunque se hizo con simpleza, que me ha valido; porque conocidamente he hallado a esta Virgen soberana en cuanto me he encomendado a Ella, y en fin me ha tornado a sí".

El pundonor

La coquetería a que alude nuestra Santa, que se apoderó de ella, no impedía, sin embargo, que apareciera su magnífico fondo. "No tenía mala intención —nos confiesa—, porque no quisiera yo que nadie ofendiera a Dios por mí...".

Había en Teresa un sentido del honor, intrepidez natural y refinado gusto por la limpieza física y moral, que la ponían a salvo de toda falta grave.

De hecho, todos cuantos han estudiado profundamente la pureza de Teresa están acordes en afirmar que jamás manchó su conciencia el pecado mortal. Pero ella nos dice que se encontraba en la pendiente que a él conduce y que pensaba más en el mundo que en Dios.

Visitas y tratos

En estrecha reparación con sus lecturas profanas refiere la Santa los peligros que le hicieron correr las visitas y tratos con otras personas. No era gente mala la que frecuentaba su casa, como cabe esperar de la nobleza de su padre; pero sí se desarrollaban en ella conversaciones frívolas que inspiraban en la jovencita secretas complacencias y ciertos misteriosos alicientes.

"Tenía —nos dice— primos hermanos algunos, que en casa de mi padre no tenían otros cabida para entrar, que era muy recatado (y pluguiera a Dios que lo fuera de estos también, porque ahora veo el peligro que es tratar, en la edad que se han de comenzar a criar virtudes, con personas que no conocen la vanidad del mundo, sino que antes despiertan para meterse en él); eran casi de mi edad, poco mayores que yo. Andábamos siempre juntos; teníanme gran amor, y en todas las cosas que les daba contento los sustentaba plática, y oía sucesos de sus aficiones y niñerías nonada buenas; y lo que peor fue, mostrarse el alma a lo que fue causa de todo su mal".

Quiere decir que le tomó el gusto a la conversación, en la que sobresalía, y ya veremos que tendría que luchar después principalmente contra este gusto innato o muy arraigado en ella.

Una ley secreta

Antes de proseguir con el relato de lo que la Santa llamaría sus "infidelidades", es indispensable hacer una observación de la mayor importancia.

Tenemos por seguro que Teresa no cometió en su vida ningún pecado grave, no siéndolo ninguna de las que ella llama grandes faltas suyas. ¿Qué misterio hay, pues, en esto? ¿Existen en moral dos pesos y dos medidas? ¿Sería *culpabilidad* en ella lo que sus confesores tendrían por cosas *inocentes?* Tal vez sea este uno de los problemas más importantes que se planteen en una vida como la de Teresa de Avila. Antes de intentar resolverlo es preciso hacer múltiples distinciones. Los mandamientos de Dios y de la Iglesia obligan a todos. Teresa no quebrantó nunca ni unos ni otros. Siguiendo por la *vía común* podía llegar a la vida eterna, cuyo secreto pedía el joven del Evangelio a nuestro Señor Jesucristo. "Cumple los mandamientos", le respondió Jesús. "¿Cuáles?", le replicó el joven. Y cuando Jesús se los hubo enumerado, declaró que los había cumplido desde su infancia. "Jesús, poniendo en él sus ojos, lo amó, y le dijo: Una sola cosa te falta: vete, vende cuanto tienes y dalo a los pobres, y tendrás un tesoro en el cielo; luego ven y sígueme".

Es decir Cristo lo llamaba a la perfección, haciéndolo salir de las "vías comunes". Formulaba para el joven una ley especial y secreta. Faltar a ella, rechazar la llamada, declinar la invitación, tal vez fuese —aunque suponemos que no necesariamente— exponerse a la muerte eterna y, de todas formas, frustrar un gran destino. El Evangelio nos

15

dice que "ante estas palabras se anubló su semblante y se fue triste, porque tenía mucha hacienda".

De haber perseverado Teresa por el camino de las pequeñas frivolidades a las que se había aficionado, es posible y aun probable, que su honrilla personal la hubiese preservado de las grandes faltas, mas no habría sido nunca la gran "Teresa de Jesús", la incomparable mística de la que vamos a hablar en la presente obrita. ¡Qué catástrofe para ella y para nosotros, que tanto le debemos!

Lo que resulta cierto es que su muy refinada experiencia de años posteriores creyó saber que sus relaciones de jovencita le habrían podido producir la perdición.

Si los primos hermanos no le facilitaron sino pequeñas ocasiones para mostrarse vanidosilla y para complacerse en sí misma, tenía, en cambio "una parienta que trataba mucho en casa", y que resultaba bastante peligrosa.

"Era de tan livianos tratos que mi madre la había mucho procurado desviar que tratase en casa (parece adivinaba el mal que por ella me había de venir) y era tanta la ocasión que había para entrar, que no había podido. A ésta que digo me aficioné a tratar; con ella era mi conversación y pláticas, porque me ayudaba a todas las cosas de pasatiempo que yo quería, y aun me ponía en ellas y daba parte de sus conversaciones y vanidades".

Nuestra santa tenía por entonces algo más de catorce años.

Todavía el pundonor

Una vez más fue su mismo pundonor lo que la salvó. Las líneas que vamos a transcribir nos hacen ver con claridad hasta dónde llegaron sus mayores "desvíos" de la adolescencia:

"Hasta que traté con ella (se refiere a la "parienta"), que fue de edad de catorce años, y creo que más (para tener amistad conmigo —digo— y darme parte en sus cosas), no me parece había dejado a Dios por culpa mortal ni perdido el temor de Dios, aunque le tenía mayor de la honra; éste tuvo fuerza para no la perder del todo, ni me parece por ninguna cosa del mundo en esto me podía mudar, ni había amor de persona de él que a esto me hiciese rendir. ¡Así tuviera fortaleza en no ir contra la honra de Dios como me la daba mi natural para no perder en lo que me parecía a mí _stá la honra del mundo! Y no miraba que la perdía por otras muchas vidas. En querer ésta vanamente tenía extremo; los medios que eran menester para guardarla no ponía ninguno; sólo para no perderme del todo tenía gran miramiento".

Puede decirse que jugaba con fuego. Su padre y su hermana mayor, que era para ella una segunda madre, dándose cuenta de cuanto sucedía, determinaron hacer lo que fuese para apartarla de un trato plagado de peligros. Sus reconvenciones no debieron ser inútiles, pero Teresa seguía por el momento el mismo camino.

"Espántame algunas veces el daño que hace una mala compañía, y si no hubiera pasado por ello, no lo pudiera creer; en especial en tiempo de mocedad debe ser mayor el mal que hace. Querría escarmentasen en mí los padres para mirar mucho en esto. De tal manera me mudó ésta conversación, que de natural y alma virtuosa, no me dejó casi ninguna, y me parece que me imprimía sus condiciones ella y otra que tenía la misma manera de pasatiempos".

Teresa señala también que al mal que le producía semejante compañía venía a añadirse el causado por las personas de su servicio, interesadas en complacer sus deseos:

"Al principio dañáronme las cosa dichas, y no debía ser suya la culpa, sino mía; porque después mi malicia para el mal bastaba, junto con tener criadas, que para todo mal hallaba en ellas buen aparejo; que si alguna fuera en aconsejarme bien, por ventura me aprovechara; mas el interés las cegaba, como a mí la afección".

Decisión paterna

Si el deseo de conservar la honra de la mujer pudo ser la salvaguarda, al menos provisional, de Teresa, reconoce que la intervención de su padre fue bastante más eficaz para su porvenir. La joven velaba por su propia reputación y rodeaba de secreto sus conversaciones tan llenas de futilidades terrenas. Mas su padre veía con malos ojos tales tapujos e interminables conversaciones, y entonces tomó una resolución enérgica que puso en ejecución sin dejar transcurrir demasiado tiempo. Las vanidades de que ha hablado no duraron más allá de tres meses. Don Alonso de Cepeda decidió antes que fuera demasiado tarde, llevar a su hija a un convento para terminar en él su formación.

Su hermana María de Cepeda contrajo matrimonio y se tomó tal circunstancia de pretexto, alegándose que no podía permanecer sola en la casa entre tantos hermanos una chica sin la madre y la hermana mayor, para confiarla a unas religiosas que cuidaban de otras jovencitas de condición análoga a la de Teresa.

El monasterio elegido fue el de Santa María de Gracia, regido por madres agustinas. Había sido edificado entre 1508 y 1509, y tenía por entonces una comunidad de cuarenta religiosas, aproximadamente. Director espiritual de este convento fue por algún tiempo Santo Tomás de Villanueva, gloria de la orden de San Agustín (1488-1555), a la que había traicionado otro agustino, Martín Lutero, en Alemania.

Era julio del 1531 y Teresa tenía entonces dieciséis años. Cierta mañana, dentro del mayor sigilo, su padre la llevó al monasterio de Nuestra Señora de Gracia y, cuando se cerró la cancela, regresó solo a su casa, donde sus numerosos hijos soñaban con las aventuras de Indias y se atendía a la pequeña Juana, la única niña que había en el hogar de los Cepeda.

La clausura del monasterio agustino era severa y en vano intentaban los amigos de Teresa hacerle llegar "turbadores" mensajes. Una vez que había salido del camino peligroso, pronto se encontró la virtuosa joven consigo misma.

"Los primeros ocho días —nos dice ella— sentí mucho, y más la sospecha que tuve se había entendido la vanidad mía, que no de estar allí; porque ya yo andaba cansada, y no dejaba de tener gran temor de Dios cuando le ofendía, y procuraba confesarme con brevedad.

"Traía un desasosiego que en ocho días —y aún creo menos —estaba muy más contenta que en casa de mi padre...".

Como puede verse, el alcance del mal no había sido muy profundo. Teresa no dejó un momento de ser una chica de fe y de animosa religiosidad. Solamente habíase ofuscado un tanto la superficie de su alma debido a influencias extrañas. Ahora que se había librado de tales influencias marchaba con decisión nuevamente hacia su Dios y Señor. Por lo demás se encontró con que en el convento cosechaba los mismos éxitos que en el mundo. Se le rodeaba de cariño. Notaba que todas la miraban con simpatía y, como por naturaleza era muy sensible a las pequeñas atenciones, se adaptó muy pronto al nuevo ambiente que pronto se convirtió en el suyo propio. En su espíritu se produjo una extraña revolución. Hasta entonces sólo había conocido los claustros por fuera y, por lo mismo, había sentido una repugnancia "mortal" hacia ellos. Pero al hallarse ahora dentro de uno, viendo la vida de virtud, de regularidad y de santo recogimiento que en él se llevaba, se sentía inclinada a la vocación religiosa. Pero también notaba en sí un gran reparo, desarrollándose por tal motivo en su interior una reñida batalla. Al fin se abriría paso en su noble corazón la divina llamada y saldría victoriosa de todas las vacilaciones.

Nuestra Santa dice que volvió a vivir las impresiones de su infancia, que la impulsaban poderosamente hacia Dios.

¡Cuán grande es la importancia de los primeros favores de la vida y la de la respuesta que nuestra alma les dé! Con mucha frecuencia, todo el porvenir se traza en la tierna edad.

Pero al lado de esta poderosa reviviscencia de los grandes impulsos de su infancia, menciona la gracia de una nueva acción: la de una religiosa de

Nuestra Señora de Gracia, llamada María de Briceño Contreras, de la que dice Teresa que quiso servirse Nuestro Señor para hacer brillar en su alma los primeros rayos de su luz. En otros términos, fue entonces cuando se dibujó y afirmó su vocación para la vida religiosa.

En el capítulo que sigue la veremos desarrollarse a través de bastantes largos periplos.

II. HACIA EL CARMELO

María de Briceño y Contreras

El nombre de María Briceño es uno de los que merecen recordarse. A ella, después de Dios, debemos la vocación religiosa de Teresa. En un momento decisivo de su vida fue esta monja su consejera y amiga, que le hizo comprender la grandeza de la entrega total a Dios. Sor María estaba encargada de las internas y hubo de ocuparse de Teresa en cuanto llegó al convento. Como tenía treinta y tres años y Teresa dieciséis, le doblaba la edad. Teresa era cariñosa y le gustaba que la quisiesen. Sabía agradar y sobresalió en este arte hasta su muerte. María de Briceño le aportó lo que deseaba y ambas trabaron una dulce amistad tal como convenía a los intereses de Dios.

"Pues comenzando a gustar de la buena y santa conversación de esta monja —escribe Teresa— holgábame de oírla cuán bien hablaba de Dios, porque era muy discreta y santa; esto, a mi parecer, en ningún tiempo dejé de holgarme de oírlo. Comenzóme a contar cómo ella había venido a ser monja por sólo leer lo que dice el Evangelio: 'Muchos son los llamados y pocos los escogidos'. Decíame el premio que daba el Señor a los que todo lo dejan por El".

Las palabras de María de Briceño caían en buena tierra. En Teresa no había podido borrarse la profunda resonancia del *"¡Para siempre!"*, de su infancia. Si algunas malas hierbas habían aparecido en su generoso corazón, pronto serían arrancadas:

"Comenzóme esta buena compañía —prosigue diciendo Teresa— a desterrar las costumbres que había hecho la mala, y a tornar a poner en mi pensamiento deseos de las cosas eternas".

¡Qué profundidad tienen estas palabras y qué bien nos ponen de manifiesto la íntima tendencia de Teresa! Su inmensa aversión a la vida religiosa —como ella decía— va, pues, a atenuarse como por encanto. La jovencita veía que sus compañeras eran piadosas. A veces notaba que lloraban orando, por pensar, sin duda, en la Pasión del Salvador o en sus propios pecados. Teresa no podía dejar de sentir cierta envidia, y se irritaba por tener un corazón "tan duro" que le era dado leer toda la Pasión del Señor sin verter una sola lágrima. Mucho le contrariaba esta insensibilidad y pedía a sus compañeras que rezasen por ella. Por su parte, se entregaba a la oración vocal, por no conocer aún ninguna otra. Suplicaba a Dios que se dignase aclarar su porvenir. El matrimonio no le atraía mucho, aunque no habría sabido decir por qué. Sin embargo, poco antes no parecía sentir aversión hacia uno u otro de sus simpáticos primos. Todo el mundo se fijaba en ella y se decía por Avila que constituía un buen partido. Se le reconocía claro ingenio, gracia y guapura. Pero a ella le parecía el matrimonio más bien un estado de sujeción, una cadena. Además, sólo Dios podía ofrecer una plenitud de amor tal como lo deseaba su corazón. Poco a poco se iba abriendo paso en ella este pensamiento, y cada día se hacía más fuerte el atractivo de la vida religiosa. Mas la vida religiosa se le antojaba por encima de sus fuerzas por las prácticas del convento en que se hallaba, y, como quiera que tenía una íntima amiga suya en otro convento, el de la Encarnación de Avila, perteneciente a la orden de Nuestra Señora del Carmen, terminó por decirse que, de inclinarse por la vida religiosa, se haría monja en el monasterio donde se hallaba su amiga. Esta amiga se llamaba Juana Suárez, monja, como decimos, del convento de las carmelitas de la Encarnación, la cual, aun sin saberlo, influyó, juntamente con doña María de Briceño, en la decisión que iba a tomar nuestra Teresa. Dios se sirve de todo para atraernos a sí. El es quien tiene el hilo en sus manos. Vamos a ver que no dejaba de ocuparse particularmente de nuestra Santa.

"Miraba —nos dice Teresa— más el gusto de mi sensualidad y vanidad que lo bien que me estaba a mi alma. Estos buenos pensamientos de ser monja me venían algunas veces, y luego se quitaban, y no podía persuadirme a serlo"

La enfermedad

La Providencia tiene, por decirlo, más de una cuerda en su arco: se sirve de todo para conducirnos a donde le place, haciéndolo sin apresuramientos y sin violentar nuestra libertad. La enfermedad es uno de sus medios más corrientes y eficaces cuando quiere hacernos palpable la nulidad de la vida terrena. Teresa llevaba algo más de dieciocho meses en el convento de Nuestra Señora de Gracia cuando cayó enferma. Tuvo que regresar a casa de su padre y parece ser que pasó en ella el invierno de 1532 a 1533. Cuando estuvo curada se pensó que necesitaba un período de reposo. Su hermana María, casada con D. Martín de Guzmán y Barrientos, quería tenerla consigo en su casa de Castellanos de la Cañada, pueblecito de diez vecinos, entre Salamanca y Avila.

Teresa accedió a los deseos de su hermana mayor y hacia allí se dirigió. Antes de llegar a dicho pueblo, detúvose en la aldea de Hortigosa, donde moraba su tío D. Pedro de Cepeda.

Entremos con Teresa en casa del excelente tío. Indudablemente eran muy virtuosos todos los miembros de la familia. "El hermano de mi padre —nos dice la misma Teresa— era muy avisado y de grandes virtudes, viudo, a quien también andaba el Señor disponiendo para sí, que en su mayor edad dejó todo lo que tenía y fue fraile, y acabó de suerte que creo goza de Dios".

El buen tío quiso que Teresa estuviese en su casa algunos días. Sin que D. Pedro se lo propusiese, era designio de Dios nuestro Señor que ejerciera una benéfica influencia en el alma de su sobrina. "Su ejercicio —refiere Teresa— era leer buenos libros de romance, y su hablar era —lo más ordinario— de Dios y de la vanidad del mundo. Hacíame le leyese, y aunque no era amiga de ellos, mostraba que sí; porque en esto de dar contento a otros he tenido extremo, aunque a mí me hiciese pesar; tanto que en otras fuera virtud, y en mí ha sido gran falta, porque iba muchas veces muy sin descreción... ¡Oh, válgame Dios, por qué términos me andaba Su Majestad disponiendo para el estado en que se quiso servir de mí, que, sin quererlo yo, me forzó a que me hiciese fuerza!...

"Aunque fueron los días que estuve pocos —prosigue la Santa— con la fuerza que hacían en

26

mi corazón las palabras de Dios, así leídas como oídas, y la buena compañía, vine a ir entendiendo la verdad de cuando niña, de que todo era nada y la vanidad del mundo".

En Teresa siempre se manifiesta al exterior su admirable fondo, y por eso nos dice "vine a ir entendiendo la verdad de cuando niña", añadiendo sin vacilación: "de que era todo nada, y la vanidad del mundo, y cómo acababa todo en breve, y a temer, si me hubiera muerto, cómo me iba al infierno".

Todo ello, a pesar de otras tendencias contradictorias, la conducía a la idea de la vida religiosa, según lo aprueba lo que sigue: "Y aunque no acababa mi voluntad de inclinarse a ser monja, vi era mejor y más seguro estado; y así poco a poco me determiné a forzarme para tomarle".

La lucha

Su decisión no fue contenida aunque en el fondo de su corazón proseguía la lucha sin cesar. Esta lucha forma parte de la prueba que un alma como la suya tenía que sostener para entrar en su camino.

"En esta batalla —nos confiesa ella— estuve tres meses forzándome a mí misma con esta razón: que los trabajos y pena de ser monja no podían ser mayores que la pena del infierno, que no era mucho estar lo que viviese como en purgatorio, y que después me iría derecha al cielo, que éste era mi deseo".

Al poner de manifiesto sus disposiciones de entonces bien se ve que la Santa, con perfecta sinceridad, no buscaba embellecer su pasado haciéndose pasar por más perfecta de lo que era en realidad. Esto lo escribía hacia la edad de los cincuenta años, cuando había llegado a conocer puntos de vista infinitamente más profundos acerca de la mejor manera de servir a Dios. Indudablemente, juzgaba con severidad y veracidad sus intenciones, cálculos y pensamientos de aquel tiempo lejano. Eso es lo que quieren decir las siguientes líneas:

"Paréceme que más era el temor servil que el amor lo que me inclinaba hacia la vida religiosa".

¡El temor servil!, es decir, lo que hay de más bajo, grosero y rudimentario en la espiritualidad. Sentía miedo de condenarse y sería, ciertamente, ese miedo el que la llevaría al claustro. Mas eso carece de importancia, pues lo más grave hubiese sido ofrecer resistencia a tales disposiciones. Pero Dios la tomó tal como era entonces. Luego ya se ocuparía de elevarla a mayor altura, siendo para nosotros una provechosa lección ver el punto de arranque de un alma tan grande y cómo la fue llevando gradualmente la Providencia hasta hacerle alcanzar cimas elevadísimas.

La batalla continuaba y aunque su posición era firme, no faltaban motivos contrarios que pudieran hacerla retroceder. "Poníame el demonio —nos dice ella— que no podría sufrir los trabajos de la religión, por ser tan regalada". Oía en sí misma lo que pudiéramos llamar la voz del abogado del diablo. Pero la santa tenía un poderoso recurso. No era ya el miedo, el miserable temor servil, del que se acusaba, el que entraba en juego, sino el amor de Jesús, que más tarde ocuparía totalmente su alma. Este amor era el que rechazaba las insinuaciones del demonio de manera fulminante:

"A esto me defendía —nos asegura— con los trabajos que pasó Cristo, porque no era mucho yo pasase algunos por El; que El me ayudaría a llevarlos, **debía pensar, que esto** postrero no me acuerdo. Pasé hartas tentaciones estos días".

Juntamente con las tentaciones, sufría también pruebas de salud, fiebres frecuentes y gran decaimiento y "**desmayos, que siempre tenía bien poca salud**".

Una vez más acudieron en su ayuda los buenos libros, por los que pasaba la divina gracia.

"Leía en las epístolas de San Jerónimo, que me animaban de suerte que me determiné a decirlo a mi padre, que casi era como a tomar el hábito".

Un rasgo de carácter

En este punto de su autobiografía, Teresa nos revela el rasgo fundamental de su carácter. Ya hemos dicho lo mucho que influía en ella la honra de la mujer. Un erudito en ciencia teresiana asegura que nuestra Santa tenía en su ascendencia 14 duques, 21 marqueses, 12 condes, un vizconde y otros 64 representantes de la primera nobleza. Así, pues, encontraba en sí misma una energía prodigiosa para hacer honor a su palabra. Por eso, después de haber **declarado a su padre** la intención de hacerse monja añade que semejante paso era, en cierto modo, como tomar el hábito. "Porque era tan honrosa —añade— que me parece no tornara atrás por ninguna manera, habiéndolo dicho una vez".

Nunca insistiremos demasiado sobre tal confesión, en la que se nos revela toda su alma. Teresa era ante todo *una voluntad* indomable, que nada

ni nadie podía doblegar una vez tomada su resolución. Los teólogos nos enseñan que la gracia no
destruye la naturaleza, sino que la perfecciona.
Con semejante voluntad, ayudada por la divina
gracia, Teresa haría verdaderas maravillas. Puede
asegurarse que en ello residía el secreto de su santidad.

Por su parte no era ninguna vana ostentación
lo transmitido por su pluma. Los acontecimientos
que siguieron nos lo confirman plenamente.

Su padre, a quien tanto quería y que tan tier-
no amor le profesaba, no toleraba oír nada del
asunto. Todos sus ruegos no pudieron inclinarle
a acceder a lo que se le pedía. Por algo era des-
cendiente de tesoneros personajes y así, cuando
decía que no, no había medio de hacerle cambiar
de parecer. Teresa recurrió a personas amigas, pero "lo más que se pudo acabar con él —son palabras de la santa— fue que después de sus días
haría lo que quisiese".

Esto significaba dar demasiadas largas a la resolución tomada. ¿Se conformaría ella? Contra semejante dilación se sublevaba firmemente el honor personal de la joven. La oposición paterna,
lejos de tenerla, le encendió más aún en sus designios:

"Yo ya me temía a mí y a mi flaqueza no tornase atrás, y así no me pareció me convenía esto,
y procurélo por otra vía, como ahora diré".

Su entrada en religión

No solamente no renunció Teresa a hacerse
monja debido a la actitud de su padre, sino que,

además de conseguirlo, indujo a uno de sus hermanos menores, Antonio, que abrazase también la vida religiosa. Esto no pudo suceder sin que antes mediaran grandes confidencias mutuas. Nos parece estar viéndoles hablar entre sí. ¿Sobre qué trataban? La misma Santa nos lo dice, aunque, de todas formas era fácil adivinarlo:

"En estos días que andaba con estas determinaciones había persuadido a un hermano mío a que se metiese fraile, *diciéndole la vanidad del mundo...*".

Pero uno y otra debían tener en cuenta la oposición paterna.

"Y concertamos entrambos de irnos un día, muy de mañana, al monasterio a donde estaba aquella mi amiga, que era al que yo tenía mucha afición, puesto que ya en esta postrera determinación ya yo estaba de suerte que a cualquiera, que pensara servir más a Dios, o mi padre quisiera fuera; que ya miraba más el remedio de mi alma, que del descanso ningún caso hacía de él".

Nos atrevemos a decir que era Teresa la de la iniciativa, limitándose su hermano a seguirla. Así, pues, Antonio llevaría a su hermana al convento donde estaba su amiga Juana Suárez y él, continuaría la marcha hasta ingresar en los dominicos.

Pues, hicieron cuanto se habían propuesto.

Mas no realizaron sus deseos sin gran pesar de Teresa por tener que ausentarse de la casa donde había nacido y pasado los inolvidables años de su infancia. Aunque muchacha de inflexible voluntad, también poseía una prodigiosa sensibilidad, si bien sabía sobreponerse a sus sentimientos. Jamás permitió que éstos dominaran en ella, lo cual revela un rasgo más de un recio carácter.

Dejemos que ella misma nos diga lo que experimentó en hora tan decisiva:

"Acuérdaseme a todo mi parecer, y con verdad, que cuando salí de casa de mi padre, no creo será más el sentimiento cuando me muera; porque me parece que cada hueso se me apartaba de por sí, que, como no había amor de Dios que quitase el amor del padre y parientes, era todo haciéndome una fuerza tan grande que, si el Señor no me ayudara, no bastaran mis consideraciones para ir adelante. Aquí me dio ánimo contra mí, de manera que lo puse por obra".

Si la verdadera santidad consiste en la heroicidad de las virtudes, bien puede decirse que Teresa empezaba a dar en este punto las primeras y convincentes muestras de santidad. Claro es que todavía le quedaba mucho camino por andar. De momento, como sabemos por lo que ella misma nos asegura, se guiaba teniendo en cuenta la vanidad del mundo en comparación de los bienes eternales, así como por hacer honor a la firme resolución previamente tomada de meterse de monja. Todo esto tiene grandeza desde el punto de vista puramente humano, pero debemos ver en su proceder la influencia de algo más. Dios no se deja vencer en generosidad y por eso la recompensó más tarde con extraordinarios favores espirituales.

Las antiguas biografías de Teresa sitúan su toma de hábito el 2 de noviembre de 1533. Las investigaciones más recientes, en cambio, obligan a aceptar el 2 de noviembre de 1536 como el día de su vestidura monacal.

Tenía, pues, nuestra Santa 21 años y dos meses cuando en mayo de 1536 salió furtivamente de la casa de su padre, el cual debió inclinarse ante la resolución de su hija. Teresa no había calculado mal al pensar que, en definitiva, su padre no se la disputaría a Dios.

Después de unos meses de postulantado, Teresa tomó el hábito religioso, como hemos dicho, el 2 de noviembre de 1536 y un año más tarde, terminado el noviciado, emitió sus votos solemnes.

Parece que los primeros días pasados en el monasterio le resultaron bastante duros. Tal vez fuese ello debido a su recio carácter, pero éste le ayudó también a superar todas las dificultades y vencer su desaliento inicial. Oigamos lo que a este respecto nos dice:

"En tomando el hábito, luego me dio el Señor a entender cómo favorece a los que se hacen fuerza para servirle; la cual nadie no entendía de mí, sino grandísima voluntad. A la hora me dio un tan gran contento de tener aquel estado, que nunca jamás me faltó hasta hoy, y mudó Dios la sequedad que tenía mi alma en grandísima ternura. Dábanme deleite todas las cosas de la religión; y es verdad que andaba algunas veces barriendo en horas que yo solía ocupar en mi regalo de gala, y acordándome que estaba libre de aquello me daba un nuevo gozo, que yo me espantaba y no podía entender por dónde venía".

Al cabo de treinta años, todavía tenía presentes nuestra Santa tan piadosos recuerdos. De estas primeras experiencias sacó una lección que ya nunca olvidaría, a saber, que el esfuerzo obtiene su recompensa, que el sacrificio resulta siempre fecundo, que la victoria sobre los instintos es fuente de satisfacciones y de grandeza y que Dios corresponde con creces a los pasos que damos hacia El.

"Esto tengo por experiencia —escribe Teresa— en muchas cosas harto graves, y así jamás aconsejaría —si fuera persona que hubiera de dar parecer— que cuando una buena inspiración acomete muchas veces, se deje por miedo de poner por obra; que si va desnudamente por sólo Dios, no hay que temer sucederá mal, que poderoso es para todo".

III. GRANDES PRUEBAS Y GRANDES DESCUBRIMIENTOS ESPIRITUALES

En el convento de la Encarnación

La gloria de Teresa sería la de reformar *el Carmelo*. Efectivamente, se advertía cierto relajamiento en la Orden. El monasterio en que se hallaba nuestra Santa no era, en verdad, ningún lugar ideal para elevarse a la alta perfección.

Ciertamente que la regla del Carmelo era muy austera. La ambición de Teresa no sería hacerla más austera todavía, sino restaurarla en su vigor y rigor primitivos. No quería consentir que se decayera en relación a los orígenes, que se hacían remontar al profeta Elías y su tenor de vida en el monte Carmelo (Palestina). La regla que se seguía debíase a San Alberto, patriarca de Jerusalén, a principios del siglo XIII. El Papa Inocencio IV le había dado su aprobación en 1247, pero luego se había adaptado al género de vida de las órdenes mendicantes, llamadas así por no poseer bienes raíces, propiedades territoriales, y vivir de las limosnas de los fieles. Las cuatro principales órdenes mendicantes de nuestra Iglesia eran las de los agustinos, franciscanos, dominicos y carmelitas. No obstante, el Papa Eugenio IV había aprobado en 1432 una regla *mitigada* para los carmelitas, y el convento de la Encarnación, donde acababa de ingresar Teresa de Ahumada, seguía esta regla suavizada.

Lo cual no quiere decir que la regla estuviese falta de austeridad. La penitencia seguía siendo de rigor en ella. La suavización consistía principalmente en que las religiosas no estaban absolutamente enclaustradas. Por uno u otro motivo, podían salir del convento y pasar cierto tiempo en el seno de sus respectivas familias. Por otra parte, dada la insuficiencia de las rentas del monasterio, les estaba permitido recibir dones provenientes de sus padres, parientes y amistades, de lo que se derivaban ciertas diferencias en cuanto al trato de las monjas, y el mantenimiento de frecuentes contactos con el exterior. Menudeaban demasiado las visitas en el locutorio, teniéndose mucha deferencia con las personas pudientes porque las relaciones con ellas resultaban provechosas para la comunidad y servían, además, de alivio en medio de los monótonos ejercicios prescritos por la regla.

Tales abusos se oponían ciertamente a la alta perfección, aunque sería erróneo suponer que daban pie para grandes desórdenes. No sucedía así por ser muy firme la fe, las costumbres rígidas, y no era excepcional, sino muy corriente, el pundonor que hemos señalado en Teresa. La honrilla constituía el fondo del carácter español de aquellos tiempos y tal vez también de los actuales, las religiosas eran, por lo general, buenas y no pocas, realmente fervorosas. Sin embargo el nivel medio resultaba algo mediocre. La práctica de la oración, de la que hablaremos bastante en esta obra, si no desconocida, era rara y se consideraba algo así como una originalidad. Lo corriente era conformarse con una vida reglada y practicar honestamente las prescripciones de la regla sin aspirar a conseguir una elevada santidad. Las confidencias que a este respecto nos ha de hacer Teresa nos ayudarán a conocer de cerca las causas de la parcial esterilidad de la existencia que llevó hasta lo que ella denomina su *conversión*, es decir, desde 1536 a 1555, período que representa 19 años de su existencia, lo cual no es, por así decirlo ningún grano de mostaza.

Las primeras experiencias religiosas

Una prueba de que Teresa tomó muy a pecho su nuevo estado es que se resintió su salud. Diversos pasajes de su autobiografía nos permiten suponer lo que fue su vida en el primer año de su profesión.

Su primera prueba le vino de su honrilla, precisamente lo que más había influido para su ingreso en religión, pero que, por otra parte, tenía también ciertos inconvenientes nada livianos. Teresa no podía tolerar ningún reproche. Esto es lo que viene a decirnos con las siguientes palabras:

"En el año del noviciado pasé grandes desasosiegos con cosas que en sí tenían poco tomo; mas culpábanme sin tener culpa hartas veces. Yo lo llevaba con harta pena e imperfección".

Sabía, sin embargo, sobreponerse, porque añade a continuación:

"Aunque con el gran contento que tenía de ser monja, todo lo pasaba. Como me veían procurar soledad y me veían llorar por mis pecados algunas veces, pensaban era descontento, y así lo decían. Era aficionada a todas las cosas de religión, mas no a sufrir ninguna que pareciese menosprecio. Holgábame de ser estimada. Era curiosa en cuanto hacía". (Curiosa = con gran cuidado y esmero).

El aislarse para orar y llorar por sus "pecados" era continuación de lo que hacía en su infancia, cuando leía vidas de santos en compañía de su hermanito Rodrigo. Mas ya se desprende de las precedentes líneas que nuestra Santa no toleraba en su interior que pensase se hallaba descontenta y le pesaba haber entrado en el convento. Semejante juicio debía procurarle bastante mortificación.

Teresa desconocía al principio las rúbricas del breviario y, sobre todo, el canto y las ceremonias del coro, lo cual atribuía ella a pura negligencia y a emplear demasiado tiempo en trabajos vanos, pero por honrilla, sentía sonrojo de que trasluciese su ignorancia. Sin embargo, supo dominarse una vez más y acabó por recibir enseñanzas hasta de jóvenes novicias, lo que para Teresa suponía el co'mo de la humillación. Pero recibió la recompensa, según nos lo asegura, teniendo alguna más memoria. En lo concerniente al canto tuvo que sufrir nuevos golpes su orgullo nativo. Cantaba mal y se sentía tan mortificada, que cada vez lo hacía peor. Aunque logró hacer algunos progresos parece que, en definitiva, nunca pudo cantar bien.

El mundo se sonreirá ante estas minucias, pero Teresa concedía gran importancia a las pequeñas cosas, que, según su criterio, nos sirven para practicar actos de virtud. "Cuando hacemos las cosas pequeñas con verdadero amor, tienen su precio a los ojos de Dios y El viene en nuestra ayuda para emprender otras mayores".

¿Hizo nuestra Santa por esta época grandes penitencias? En su autobiografía no nos dice nada sobre el particular, pero una de sus religiosas, María de San José, asegura haber sabido por la misma Santa que sí las hacía, pero que no se resentía de ellas por el fervor que le daban sus grandes deseos de perfección. Mas alguien debió percatarse de que tales austeridades, fuera de la regla, perjudicaban su salud. El hecho le sirvió de experiencia y más tarde, siendo superiora, tenía buen cuidado de refrenar los ardores excesivos de sus propias religiosas.

Indudablemente debió cometer algunos de los excesos que luego reprocharía a sus monjas porque, efectivamente, cayó enferma. No sabemos qué clase de mal la acometió, pues la Santa nos dice en su "Vida" sobre el particular tan sólo lo que sigue:

"La mudanza de la vida y de los manjares me hizo daño a la salud, que aunque el contento era mucho, no bastó. Comenzáronme a crecer los desmayos y dióme un mal de corazón tan grandísimo que ponía espanto a quien le veía, y otros muchos males juntos, y así pasé el primer año con harta mala salud, aunque no me parece ofendí a Dios en él mucho".

Apenas había transcurrido un año de haber profesado cuando, de conformidad con lo que permitía la regla, tuvo que salir del convento para que le cuidasen en casa de su padre. Tal vez se tratase de alguna afección tifóidica. "Mi mal —dice ella— era tan grave que casi me privaba el sentido siempre —y algunas veces del todo quedaba sin él—".

Su desconsolado padre buscaba remedio oportuno, pero todos sus cuidados fueron inútiles. Como quiera que los médicos no lograban devolverle la salud, determinó llevarla a un lugar donde había una curandera de gran fama, que curaba gran número de enfermedades. Dicho lugar se hallaba cerca del pueblecito de Castellanos de la Cañada, donde residía su hermana María y hacía allí se encaminaron

Un gran descubrimiento

Fue en el curso de este viaje y bajo el impacto de una grave enfermedad cuando Teresa hizo uno de los mayores descubrimientos de su vida. Vale la pena que lo refiramos porque ningún otro acontecimiento influyó tan fuertemente sobre todo su destino.

El camino para Castellanos pasaba por Ortigosa, lugarcillo donde vivía un tío de Teresa llamado don Pedro Sánchez de Cepeda, hombre muy virtuoso y apasionado lector de obras espirituales.

Pero dejaremos a la misma Teresa que nos cuente lo que sucedió. Sólo advertiremos que, de conformidad con la regla, Teresa iba acompañada por una joven religiosa, íntima amiga suya, Juana Suárez. La presencia de esta querida compañera añadiría importancia al descubrimiento que Dios le reservaba en Ortigosa:

"Cuando iba —escribe la Santa— me dio aquel tío mío —que tengo dicho que estaba en el camino— un libro llámase *Tercer Abecedario* que trata de enseñar oración de recogimiento; y puesto que este primer año había leído buenos libros (que no quise más usar de otros, porque ya entendía el daño que me habían hecho), no sabía cómo proceder en oración, ni cómo recogerme, *y así holguéme mucho con él...*"

No hay duda que el buen tío, al ofrecer el tal libro a su sobrina, le daría acertados consejos so-

40

bre el modo de utilizarlo. Lo cierto es, de todas formas, que este descubrimiento del modo de orar tuvo influencia capital durante toda su vida. En los capítulos que siguen tendremos ocasión de hablar sobre esa influencia, explicando también por qué un historiador moderno de nuestra Santa la ha calificado de "maestra de oración". Si acertamos a hacernos comprender, se comprobará que por este solo título puede ocupar Teresa de Jesús uno de los primeros lugares en la serie de los grandes genios y excelsos bienhechores de la humanidad.

Vale, pues, la pena detenerse unos instantes a considerar el libro que cayó en manos de nuestra Santa.

El Abecedario

El autor de este libro era un franciscano llamado Osuna. Proponiéndose únicamente el excelente religioso dar consejos prácticos sobre la oración, no se cuidó de buscar ningún título rimbombante, denominándolo sencillamente ABECEDARIO.

Osuna se había visto mezclado en un movimiento místico llamado de los *Alumbrados*, parte de cuyos miembros habían despertado cierta alarma en la temible Inquisición, nada contemporizante con los herejes y que tenía tendencia a encontrar un mal olor herético en todas las teorías y prácticas nuevas.

Pero Osuna había procurado mantenerse en la más estricta ortodoxia y no apartarse de caminos seguros. Con mucha piedad, bondad, sabor, y a veces también con audacia y profundidad, señalaba los métodos que le parecían más útiles para orar. En general recomendaba, ante todo, renunciar al mundo, la purificación de los sentidos y pensamientos, declarando que para entrar en posesión de Dios en la oración se precisa, principalmente, hacerse ciego, sordo y mudo con respecto a todo lo creado. *Concentrando* entonces el alma *su atención* tan sólo *en Dios*, hallará su gozo únicamente en El, y no dejará de atraer a Dios hacia sí, puesto que Dios acude indefectiblemente a colmar el vacío que se produce intencionadamente por El.

Hemos subrayado las palabras *concentrando su atención en Dios*, por ser la parte más esencial que corresponde al hombre en el gran trabajo de la oración, la cual, siguiendo a San Juan de la Cruz, podemos definirla como: *Una atención habitual, amante y sosegada, a la presencia de Dios en el fondo de nosotros mismos.*

Una prodigiosa revelación

"Nunca se dará demasiada importancia —ha dicho el canónigo Marcel Lépée, uno de los que mejor conocen la gran figura de Santa Teresa— a la influencia del *Tercer Abecedario* sobre Santa Teresa de Jesús".

Nosotros somos de igual parecer, ya que toda su existencia se transformó después de la cuidadosa lectura de dicho tratado.

Bien puede afirmarse: ¡dichosa enfermedad que hizo salir del claustro a Teresa, y dichoso viaje que la llevó por segunda vez a casa de su tío, que tan preciado regalo supo hacer a su sobrina! Los acon-

42

tecimientos se encadenan por estar su trama en las manos de Dios.

Los primeros frutos

Oigamos a Teresa sobre lo que hizo del libro que tan oportunamente cayó en sus manos:

"Determinéme a seguir aquel camino con todas mis fuerzas; y como ya el Señor me había dado don de lágrimas y gustaba de leer, comencé a tener ratos de soledad, y a confesarme a menudo, y comenzar aquel camino, teniendo aquel libro por maestro; porque yo no hallé maestro —digo confesor que me entendiese—, aunque lo busqué, en veinte años después de esto que digo...".

Evidentemente, Teresa leyó y releyó la citada obra, que convirtió en su libro de cabecera. El efecto de esta lectura fue radical para ella en Castellanos, aunque, a decir verdad, estaba admirablemente preparada por la enfermedad, su gusto de la soledad, su viva sensibilidad, por la presencia de una amiga muy piadosa y por las lecciones recibidas en el noviciado un año antes.

Es posible y aun muy probable, que ya hubiese oído hablar de oración, sin saber cómo ejercitarse en tan santo ejercicio, cuya práctica apenas acababa de extenderse por el ámbito de la Iglesia.

Nuestra Santa ya tenía un guía y la Providencia le proveyó del tiempo necesario para su primera experiencia, que tan gran importancia debería tener para ella.

La curandera, ya fuera porque estuviese agobiada de enfermos a quienes atender o porque precisase de plantas que sólo podían hallarse en el buen

43

tiempo, lo cierto es que fijó para la primavera el comienzo del tratamiento, que habría de ser prolongado. Así Teresa tenía ante sí unos meses de espera.

Veamos ahora lo que la misma nos dice acerca del empleo que hacía del tiempo y de las gracias que Dios le concedía:

"Comenzóme Su Majestad a hacer tantas mercedes en estos principios, que al fin de este tiempo que estuve aquí (que eran casi nueve meses en esta soledad, aunque no tan libre de ofender a Dios como el libro me decía, mas por esto pasaba yo; parecíame casi imposible tanta guarda; teníala de no hacer pecado mortal, y pluguiera a Dios la tuviera siempre; de los veniales hacía poco caso, y esto fue lo que me destruyó), comenzó el Señor a regalarme tanto por este camino, que me hacía merced de darme oración de quietud, y alguna vez llegaba a unión, aunque yo no entendía qué era lo uno ni lo otro, y lo mucho que era de preciar, que creo me fuera gran bien entenderlo. La verdad es que duraba tan poco esto de unión, que no sé si era avemaría; mas quedaba con unos efectos tan grandes que, con no haber en este tiempo veinte años, me parece traía el mundo debajo de los pies, y así me acuerdo que había lástima a los que le seguían, aunque fuese en cosas lícitas".

Teresa tenía, efectivamente, poco más de veinte años por aquellas fechas, es decir, en el invierno de 1538 a 1539. Según nuestros cálculos debía ser su edad más bien la de 24 años.

Ya tenemos a Teresa dedicada a la oración, probando las primeras dulzuras, que son las que Dios reserva a los principiantes. La Santa va a decirnos ahora el método que seguía:

44

"Procuraba lo más que podía traer a Jesucristo, nuestro bien y Señor, dentro de mí presente, y esta era mi manera de oración; si pensaba en algún paso, le representaba en lo interior. Aunque lo más gastaba en leer buenos libros, que era toda mi recreación; porque no me dio Dios talento de discurrir con el entendimiento, ni de aprovecharme con la imaginación, que la tengo tan torpe que aun para pensar y representar en mí —como lo procuraba— traer la Humanidad del Señor, nunca acababa . . . .

Nosotros habríamos supuesto todo lo contrario, pero ya vemos lo categórica que es Teresa en este particular. Debido a tal circunstancia, la Santa se mostraría muy indulgente hacia las personas con dificultad para contemplar sin la ayuda de un libro de meditación.

"Ahora me parece que proveyó el Señor que no hallase quien me enseñase, porque fuera imposible perseverar dieciocho años que pasé este trabajo y en estas grandes sequedades, por no poder, como digo, discurrir. En todos estos, si no era acabando de comulgar, jamás osaba comenzar a tener oración sin un libro; que tanto temía mi alma estar sin él en oración, como si con mucha gente fuera a pelear. Con este remedio —que era como una compañía o escudo en que había de recibir los golpes de los muchos pensamientos— andaba consolada; porque la sequedad no era lo ordinario, mas era siempre cuando me faltaba libro, que era luego desbaratada el alma; y los pensamientos perdidos, con esto los comenzaba a recoger y como por halago llevaba el alma. Y muchas veces, en abriendo el libro, no era menester más; otras, leía poco, otras mucho, conforme a la merced que el Señor me hacía...".

Hacía falta citar todo este pasaje para consuelo e instrucción de las personas a quienes asusta la oración. El ejemplo de una mística como Santa Teresa les hará ver que todo ha de tener su comienzo. Todos pueden empezar como ella. No hay cristiano que no pueda practicar provechosamente la oración con ayuda de un buen libro de meditaciones. Esto es lo que creía San Francisco de Sales, según aparece en su *Introducción a la vida devota*.

Una conversión

La curandera, que residía en el pueblecito de Becedas, había fijado para el mes de abril (1539) el principio del tratamiento que deseaba aplicar a Teresa. Tuvo, pues, que ponerse la enferma en camino. A Teresa la acompañaron su padre, su hermana y Juana Suárez, su buena amiga. El traslado se hizo con los mayores cuidados. En Becedas, donde habría de permanecer tres meses, tuvo la dicha de conseguir la más inesperada de las conversiones.

Para confesarse se dirigió a un sacerdote del lugar, "harto de buena calidad y entendimiento; tenía letras, aunque no muchas". El dicho sacerdote no dominaba mucho las ciencias eclesiásticas. Teresa, que mucho apreciaba la verdadera ciencia y que toda su vida le manifestaría gran amor e increíble respeto, se percató inmediatamente de las deficiencias del confesor. Sin pretenderlo, fue Teresa, por la gracia de Dios, la encargada de llevar la luz de la verdad a su desventurado confesor. El ver a esta joven enferma tan sumisa, tan unida a Dios, tan instruida en la oración, tan llena de inocencia, de pureza y de delicadeza de conciencia, fue para él una verdadera revelación.

La Santa le hablaba, efectivamente, de las dulzuras de la oración y mientras se le iba manifestando, el cura se sentía más y más confuso. Según nos dice Teresa, hacía unos siete años que "estaba en muy peligroso estado con afección y trato con una mujer del mismo lugar", a pesar de lo cual celebraba la santa Misa. "Era cosa tan pública que tenía perdida la honra y la fama y nadie le osaba hablar contra esto". Cuando Teresa se informó bien de semejante conducta sólo tuvo el firme propósito de arrancarlo de vínculos tan culpables. Y logró en virtud de la misma confianza y admiración que había sabido inspirarle. Llevaba el sacerdote "un idolillo de cobre, que la mujer le había rogado le trajese por amor de ella al cuello, y éste nadie había sido poderoso de podérsele quitar", y Teresa consiguió que lo arrojase al río por darle gusto.

"Quitado éste —prosigue diciendo la Santa— comenzó —como quien despierta de un gran sueño— a irse acordando de todo lo que había hecho aquellos años, y espantándose de sí, doliéndose de su perdición, vino a comenzar a aborrecerla. Nuestra Señora le debía ayudar mucho, que era muy devoto de su Concepción, y en aquel día hacía gran fiesta. En fin, dejó del todo verla, y no se hartaba de dar gracias a Dios por haberle dado luz. A cabo de un año en punto, desde el primer día que yo le vi, murió", pero el santo fervor con que había servido a Dios en el intervalo, lo preparó debidamente para la última hora.

Recordando este episodio de su vida, Teresa, siempre tan delicada de conciencia, sentía cierto escrúpulo. Parecíale haber sido una imprudente, si bien declaraba que siempre notó en aquel hombre sentimientos honestos y no había visto en su trato ningún peligro. Sobre esto concluye diciendo:

"Tengo por cierto está en carrera de salvación. Murió bien y muy quitado de aquella ocasión; parece quiso el Señor que por estos medios se salvase".

Tratamiento inhumano

Al mismo tiempo padecía Teresa el tratamiento médico más brutal que cabe imaginar. La cura duró tres meses que fueron otros tantos de verdadero martirio.

"La cura —nos dice ella— fue más recia que pedía mi complexión. A los dos meses, a poder de medicinas, me tenía acabada la vida; y el rigor del mal de corazón de que me fui a curar, era mucho más recio, que algunas veces me parecía con dientes agudos que asían de él, tanto que se temió era rabia. Con la falta de virtud —porque ninguna cosa podía comer si no era bebida, de grande hastío—, calentura muy continuada, y tan gastada porque casi un mes me había dado una purga cada día, estaba tan abrasada que se me comenzaron a encoger los nervios con dolores tan incomportables, que día ni noche ningún sosiego podía tener; una tristeza muy profunda.

"Con esta ganancia me tornó a traer mi padre a donde tornaron a verme médicos. Todos me desahuciaron, que decían sobre todo este mal, decían estaba hética (tísica). De esto se me daba a mí poco; los dolores eran los que me fatigaban, porque eran en un ser desde los pies hasta la cabeza; porque de nervios son intolerables, según decían los médicos; y como todos se encogían cierto —si yo por mi culpa no lo hubiera perdido— era recio tormento. En esta reciedumbre no estaría más de tres meses, que parecía imposible poderse sufrir tantos males juntos. Ahora me espanto y tengo por gran merced del Señor la paciencia que Su Majestad me dio, que se veía claro venir de El".

Una vez más los buenos libros

A todo lo largo de esta historia comprobamos la influencia de los buenos libros. A pesar de sus muchos padecimientos, Teresa no cesaba de leer o de hacer que le leyeran. En este punto nos dice formalmente que debió su paciencia a la lectura de la historia de Job en el famoso libro de San Gregorio Magno, titulado *Moralia*.

"Con esto —dice la Santa— y con haber comenzado a tener oración, pude llevarlo con tanta conformidad. Todas mis pláticas eran con El; traía muy ordinario estas palabras de Job en el pensamiento y decíalas: 'Pues recibimos los bienes de la mano del Señor, ¿por qué no sufriremos los males?' Esto parece me ponía esfuerzo".

Crisis terrible

Entre tanto se había llegado a la fiesta de la Asunción de 1539. Los sufrimientos de Teresa no habían cesado un instante, habiéndose arreciado en los tres últimos meses. Para mejor celebrar el día de la Asunción pidió confesarse, cosa muy natural, pero su padre se creyó que lo hacía para prepararse a bien morir.

Queriendo reanimarla y con razonamiento demasiado humano, se opuso a los deseos de su hija. Por la noche, la enferma pasó por tremenda crisis y estuvo casi cuatro días sin conocimiento, haciéndose necesario administrarle la Extremaunción. A todo instante se temía que fuese a expirar, y no cesaban de repetirle el Credo, como si hubiese estado en condiciones de darse cuenta de algo. "Teníanme a veces por tan muerta —dice Teresa— que hasta la cera me hallé después en los ojos". Seguramente le acercarían a los párpados el cirio de los moribundos para ver si todavía respiraba.

Durante este tiempo su padre se arrepentía de haberle privado de confesarse. El hombre oró intensa y fervorosamente y Dios debió querer escuchar tales súplicas porque "teniendo —dice la Santa— día y medio abierta la sepultura en mi monasterio, esperando el cuerpo allá, y hechas las honras en uno de nuestros frailes fuera de aquí, quiso el Señor tornase en mí". Inmediatamente pidió confesarse, lo que consiguió sin ninguna dificultad y luego recibió la sagrada Comunión con muchas lágrimas. Pero su estado continuó siendo muy precario. Según la misma Santa: "Quedé de estos cuatro días de paroxismo de manera que sólo el Señor puede saber los incomportables tormentos que sentía en mí: la lengua hecha pedazos de mordida; la garganta, de no haber pasado nada y de la gran flaqueza, que me ahogaba, que aun el agua no podía pasar; toda me parecía estaba descoyuntada".

Muy contraída y como apelotonada en el lecho del dolor, no podía mover los brazos ni las piernas, con excepción de un dedo de la mano derecha. No soportaba ningún contacto y era preciso moverla con ayuda de una sábana.

Así estuvo todo el invierno hasta la Pascua florida (que es como entonces se llamaba el Domingo de Ramos).

Retorno al convento

Por la Pascua consiguió que la llevasen a su monasterio, quedando encamada en la enfermería del mismo. No tenía más que piel y huesos. Poco a poco, sin embargo, fue recobrando fuerzas. El estar sin poderse mover le duró más de ocho meses y el tullimiento, casi tres años. Ella nos asegura que alababa a Dios cuando empezó a andar a gatas.

Teresa atribuyó su curación a San José, cuya devoción estaba poco difundida por entonces en la Iglesia.

Debemos decir que la curación no fue total. Teresa, tan activa, enérgica y decidida en el cumplimiento de sus deberes, fue siempre una mujer más o menos enferma. A lo largo de toda su vida, es decir, hasta los sesenta y siete años que tenía cuando murió, siempre estuvo aquejada de los mismos males: ataques al corazón con continuas náuseas y vómitos una o dos veces por día y frecuentes calenturas. Su cabeza estaba de ordinario llena de zumbidos, a manera del rumor producido por grandes ríos, choque de aguas, bandadas de pájaros o silbidos.

Con frecuencia se sintió aquejada de un mal extraño que ella llamaba *perlesía,* que según el diccionario, significa parálisis, debilidad muscular acompañada de temblor. En realidad debía tratarse de reumatismo más o menos violento.

Estas enfermedades que, como observa el canónimo Marcel Lépée, se parecen a las sufridas por San Bernardo, sobre todo los vómitos, son un enigma para los investigadores. Teresa llevó una doble existencia. Mientras que su cuerpo estaba afectado por toda clase de miserias, su espíritu permaneció con la más completa lucidez. "¿Cómo se explica —escribe Renato Sánchez— que con padecimientos tan prolongados, repetidos y crueles, que siempre la tuvieron a un paso de la muerte, le dejasen tan libre y despejada la cabeza hasta el extremo de pasar sin ningún esfuerzo de un éxtasis a una ocupación manual, de un milagro a una carta de negocios? Ese es, a no dudarlo, el indescifrable problema de esta vida tan extraordinaria".

Mas cabe preguntarse si en ella no fue el cuerpo la víctima continuada del genio que alentaba en su alma, si la concentración del pensamiento y la extremada energía de las resoluciones no repercutían en su organismo con formidables pruebas. La curandera la dejó trastornada para toda su vida.

Por otra parte, el sentido del pundonor, que ya conocemos en ella, la hacía contenerse para no gritar ni lamentarse de sus terribles sufrimientos, siendo este dominio de sí misma una nueva tortura para su ajetreado cuerpo.

Mas todo ello se transformó en provecho espiritual para su alma. Un día diría al Señor la frase que ha perdurado a través de los siglos: *"¡O padecer o morir!"* Ciertamente que Dios la favoreció con la singular gracia de comprender la cruz. Tal vez sea esa la mayor gracia que puede concedernos el Señor, la que, precisamente, más temor infunde a nuestra innata debilidad. En Teresa se produjo un cambio espiritual debido al sufrimiento y ése fue el primero y mayor de sus progresos. "Teresa —escribe el canónimo Lépée— comprobó por sí misma que el amor supera al temor. No se piensa en el castigo. Cuanto más enferma se sentía, tanto más acomodaba su vida a Dios".

En el capítulo VIII de su *Vida* nos dice Teresa: "Cuando estaba mala, estaba mejor con Dios". Así, pues, durante los prolongados meses de grandes dolores, hizo importantes progresos espirituales bajo la combinada influencia de la oración y del sufrimiento.

IV. INFIDELIDADES. — CONVERSION
EN 1555

Consecuencias de una curación

La mediocuración de Teresa pudo haber sido nociva para su progreso espiritual. Vamos a pasar con ella por un período bastante largo durante el cual va a parecerle que debe deplorar grandes *infidelidades*. Para bien juzgarlas debemos tener en cuenta lo dicho al principio de este estudio: sin que existan dos pesos y dos medidas, es cierto que se ha de juzgar a las almas conforme a los favores recibidos y con arreglo a la respuesta que den a las llamadas divinas. Cada vida es un caso especial. Con los dones de su rica naturaleza y las experiencias espirituales ya realizadas, Teresa se sentía ante Dios cargada de mayor responsabilidad que otras personas. Quien haya recibido cinco talentos, viene a decirnos el Evangelio, será juzgado con arreglo a esa cantidad. Esto es de justicia.

Con su maravillosa sinceridad y el don de análisis que lleva el sello de su extraordinaria inteligencia, nos asegura Teresa que *hacía poco caso del pecado venial*. Las faltas graves le causaban, ciertamente, gran horror. Por nada del mundo hubiera querido incurrir en desgracia de su Dios, pero en cuanto a las pequeñas, ya no era tan remirada. Hasta mucho más tarde no comprendería lo miserable de semejante criterio y lo errado que es no preocuparse de las cosas pequeñas. "Arrastrándome —dice ella— por los bajos senderos de la perfección, no me inquietaba casi nada por los pecados veniales. En cuanto a los mortales, no sentía un horror lo suficientemente profundo, puesto que no me alejaba lo necesario de los peligros. Esa es una manera de vivir lo más penosa que cabe imaginar, porque ni gozaba de Dios ni me encontraba a gusto en el mundo..."

Mas, ¿de qué se trata en realidad?

Indudablemente, de algo muy sencillo, aunque las gentes del mundo apenas lo podrán comprender. Resulta oportuno recordar aquí la parábola de los cinco talentos. Teresa pertenecía a una comunidad de religiosas en apariencia cumplidoras de la regla, pero en resumen más o menos relajadas. En el convento se atenían a la letra de las prescripciones canónicas, mas, en el fondo, aquellas monjas no se habían despedido de todo el mundo. Les gustaba, como ya hemos dicho, recibir frecuentes visitas en el locutorio. Indudablemente, ello les brindaba ocasión para hacer mucho bien, puesto que las conversaciones podían girar sobre Dios y las cosas de piedad. Teresa debió proceder así con mayor medida que las demás religiosas por el don que tenía de agradar y por sus especiales dotes de saber hablar y escribir. Mas también abusaba algo de las facilidades que se le presentaban en relacionarse con personas extrañas a la comunidad. Durante cierto tiempo, no pretendió ser más perfecta de lo que le exigía la regla y de lo que veía a su alrededor. A las monjas les estaba permitido hacer salidas del convento y Teresa se acogía a tal derecho como las demás. Podían ir con gran frecuencia al locutorio y ella acudía a él, aprovechando la ocasión para hacerse admirar y estrechar amistades a veces algo peligrosas. De ahí los sentimientos que llegaron a turbarla. Nos dice la Santa que cuando se hallaba en medio de los vanos placeres del mundo, el recuerdo de lo que debía a Dios le llenaba el alma de amargura, y cuando estaba con Dios, las afecciones del mundo turbaban su corazón.

Reflexionando sobre todo esto, encuentra motivos para admirar más y más la paciencia divina con respecto a ella y quedarle reconocida por las especiales misericordias usadas con un alma tan ingrata como la suya.

A decir verdad, sus escrúpulos no los compartía nadie. Todo el mundo tenía muy bien concepto de ella y se le consideraba una religiosa ejemplar Nadie veía por qué había de renunciar a unas relaciones que honraban al convento del que formaban parte. Y cuando se sinceraba con los confesores sobre el particular, la tranquilizaban diciéndole que no cometía ningún pecado, lo que era cierto en el sentido de que no contravenía ninguno de los preceptos del Decálogo. Pero podemos comprender perfectamente el estado de insatisfacción de Teresa teniendo en cuenta la responsabilidad personal que se deriva de las gracias recibidas.

El abandono de la oración

Teresa sucumbió a la más sutil de las tentaciones. Ya hemos visto que le había tomado gusto a la oración y que había hecho notables progresos en la misma. Después de haber estudiado detenidamente el *Tercer Abecedario* de Osuna, permaneció fiel a la práctica de la oración mental y se reafirmó en tan buena costumbre con motivo de su enfermedad. Pero encontrándose luego mucho mejor de salud y pudiendo practicar la regla conventual, empezó a sentir disgustos, que llegaron a parecerle remordimientos, en dicha oración. Sus confesores le aseguraban que no hacía nada malo. ¿Qué debía pensar, pues, de sus vacilaciones y turbaciones interiores? Le vino a la imaginación que entregarse a la oración mental una persona tan imperfecta como ella era un empeño sinceramente orgulloso. El demonio le dio a entender que dicha práctica significaba en ella presunción e imprudencia.

¿Cómo atreverse a orar, es decir, tener el descaro de ponerse en presencia de su Rey y Señor, cuando no cesaba de traicionarle con su conducta, complaciéndose en las relaciones con el mundo?

"Viéndome tan perdida —dice— comencé a temer de tener oración; y parecíame era mejor andar como los muchos —pues en ser ruin era de los peores— y rezar lo que estaba obligada, y vocalmente, que no tener oración mental y tanto trato con Dios la que merecía estar con los demonios, y que engañaba a la gente, porque en lo exterior tenía buenas apariencias..."

Falsa humildad y falso razonamiento. Sin embargo, no podía olvidarse de los factores recibidos, y aunque abandonaba la oración, no se recataba en ensalzar los beneficios que producía en otras almas. Lejos de encontrar la paz, al alejarse de la oración mental, su malestar interior iba en progresivo aumento.

Primera visión

Dios no la abandona. Sabía muy bien que su ilusión no le provenía de mala voluntad fundamental, sino del demonio y de indudable ausencia de

58

buena dirección espiritual. El Señor se compadeció de ella. Entre las relaciones que sostenía por medio del locutorio con personas del mundo, había una más peligrosa sobre la que se le dio una muy seria advertencia de manera sobrenatural, siendo la primera manifestación de este género y de las que Teresa no tenía idea alguna, a pesar de que en adelante serían frecuentes en su vida. Mas dejemos que ella misma nos refiera el caso:

"Estando con una persona, bien al principio del conocerla, quiso el Señor darme a entender que no me convenían aquellas amistades, y avisarme y darme luz en tan gran ceguedad. *Representóseme Cristo delante con mucho rigor*, dándome a entender lo que de aquello pensaba. Vile con los ojos del alma más claramente que le pudiera ver con los del cuerpo, y quedóme tan imprimido que ha esto más de veintiséis años, y me parece lo tengo presente. Yo quedé muy espantada y turbada y no quería ver más a con quien estaba".

La muerte de su padre

Otro acontecimiento causó en Teresa una profunda impresión. Fue éste la muerte de su padre. El padre hidalgo castellano había pasado por muchas cuitas. Había perdido a su mujer; su hija Teresa se había metido de monja; sus hijos mayores habían marchado a las Indias Occidentales y, por otra parte, su fortuna, mal administrada, se había diluido en sus manos. Teresa, que lo veía con frecuencia en el locutorio del convento, le había prodigado todos los posibles consuelos, entre ellos, el de aconsejarle la práctica de la oración mental que ella misma había abandonado, cosa a todas luces ilógica. La joven religiosa profesaba a su padre verdadero culto. Si ella se juzgaba indigna de conversar con Dios, estaba muy convencida de que su padre era digno de ello. Tal don de persuasión tenía Teresa, que su padre siguió al pie de la letra sus consejos.

"En tan subido estado se hallaba —nos dice la Santa— que ya no estaba después tanto conmigo, sino, como me había visto, íbase, que decía era tiempo perdido".

¡Qué gran lección para ella, que perdía en el locutorio tan gran parte de un tiempo que hubiera debido emplear en conversar con Dios!

Cuando su padre cayó enfermo, Teresa obtuvo permiso para ir a cuidarlo en su casa. Con tal motivo se olvidó de todas sus cuitas para no pensar más que en él.

"Pasé harto trabajo en su enfermedad —refiere la Santa—; creo le serví algo de los que él había pasado en las mías. Con estar yo harto mala me esforzaba, y con que en faltarme él me faltaba todo el bien y regalo —porque en un ser me le hacía—, tuve tan gran ánimo para no le mostrar pena y estar hasta que murió como si ninguna cosa sintiera, pareciéndome se arrancaba mi alma cuando veía acabar su vida, porque le quería mucho. Fue cosa para alabar al Señor la muerte que murió, y la gana que tenía de morirse, los consejos que nos daba después de haber recibido la extremaunción, el encargarnos le encomendásemos a Dios y le pidiésemos misericordia para él, y que siempre le sirviésemos, que mirásemos se acababa todo; y con lágrimas nos decía la pena grande que tenía de no haberle él servido, que quisiera ser un fraile, digo haber sido de los más estrechos que pudiera ... Estuvo tres días muy falto el sentido; el que murió se le tornó el Señor tan entero que nos espantábamos, y le tuvo hasta que a la mitad del credo, diciéndole él mismo, expiró. Quedó como un ángel; así me parecía a mí lo era él —a manera de decir— en alma y disposición, que la tenía muy buena".

Esta muerte tan ejemplar conmovió a Teresa desde lo más profundo de su ser. La pena que experimentó vino a añadirse al desconcierto, al disgusto, a los secretos remordimientos, a la pena que sentía después de haber abandonado la oración, y fue, en definitiva, motivo para una primera conversión.

Retorno a la oración

Entre los sacerdotes de quienes su padre había recibido durante su enfermedad auxilios espirituales, estaba un padre dominico —el P. Vicente Barrón— cuyo modo de hablar le había causado profunda impresión. Teresa se dirigió a él en demanda de consejos como si hubiese presentido que tenía grandes cosas que revelarle de parte de Dios. El P. Vicente había sido discípulo del P. Hurtado de Mendoza, uno de los más influyentes entre los reformadores de su Orden. Tenía gran experiencia de la vida interior y procuraba propagarla por los medios a su alcance.

Teresa sacó provecho inmediato de las directrices que recibió de él.

"Este padre dominico —escribe ella—, que era muy bueno y temeroso de Dios, me hizo harto provecho; porque me confesé con él y tomó a hacer bien a mi alma con cuidado y hacerme entender la perdición que traía. Hacíame comulgar de quince a quince días, y poco a poco, comenzándole a tratar, tratéle de mi oración; díjome que no la dejase, que en ninguna manera me podía hacer sino provecho. Comencé a tornar a ella —aunque no a quitarme de las ocasiones—, y nunca más la dejé".

Este retorno a la oración debe situarse hacia el año 1543. Fue una primera conversión en la vida de Santa Teresa; pero tan sólo un principio, pues ya nos dice ella, como habrá advertido el lector "aunque no a quitarme de las ocasiones", es decir, que, a pesar de todo, continuó frecuentando el locutorio a donde acudía la persona que más la distraía y con la que se exponía a caer en falta. Sin embargo, estaba animada de nuevo espíritu y la práctica de la oración mental iba trabajando en su interior lentamente. Se daba perfecta cuenta de que era el demonio quien la había hecho cambiar y la había inducido a abandonar la oración, pues escribe:

"No entiendo esto que temen los que temen comenzar oración mental, ni sé de qué han miedo. Bien hace de ponerle el demonio para hacernos él de verdad mal; si con miedos me hace, no piense en lo que he ofendido a Dios, y en lo mucho que le debo, y en que hay infierno y hay gloria, y en los grandes trabajos y dolores que pasó por mí".

En estas líneas nos dice Teresa el tema que de ordinario meditaba en su oración. Pero la cosa no marchaba sobre ruedas, a pesar de los esfuerzos que hacía nuestra Santa. La tentación de abandonar nuevamente la oración se le renovó en diversas ocasiones y le ocurría que cuando se ponía a orar, estaba más atenta a oír tocar el reloj anunciando que había pasado la hora de meditación destinada por ella a tal práctica, que a reflexionar piadosamente y tomar las debidas resoluciones.

"Muchas veces —nos dice ella— hubiese preferido la más ruda penitencia al tormento de recogerme en oración. Es cosa cierta que entonces tuve que librar una batalla continua, contra el demonio o contra mi mala costumbre, para ir al oratorio, sintiéndome, una vez en él, invadida de mortal tristeza. Con todo hacía esfuerzos y Dios terminó por acudir en mi ayuda".

Como vemos, fue preciso todo su valor para seguir fielmente su resolución.

La primera recompensa

Toda la vida de Teresa merece que se le considere muy de cerca. Tan bien comprendió la conducta de Dios para con ella, que lo que nos dice nos hace conocer admirablemente la estrategia divina en la persecución de nuestras almas. Dios no deja nada sin recompensa. No solamente nos previene, llama, ilumina y nos hace ver la nulidad de las cosas y la infinidad que nos reserva en Su amor, sino que en cuanto damos un paso hacia El, da inmediatamente El dos hacia nosotros.

Pero lo que nos pone más de manifiesto la experiencia teresiana es que un *malestar bienhechor*, sentido en lo más hondo de nuestro ser, constituye el primer fruto de la oración. Este mal sabor es el principio de la salud.

"Pasaba una vida trabajosísima —dice Teresa—, porque *en la oración entendía más mis faltas...*"

Pero ello no era suficiente todavía. Seguía dividida.

"Pasaba una vída trabajosísima, porque en la oración entendía más mis faltas: por una parte me llamaba Dios, por otra, yo seguía al mundo, dábanme gran contento todas las cosas de Dios, teníanme atada las del mundo; parece que quería concertar estos dos contrarios, tan enemigos uno del otro como es vida espiritual, y contentos, y gustos y pasatiempos sensuales. En la oración pasaba gran trabajo, porque no andaba el espíritu señor, sino esclavo; y así no me podía encerrar dentro de mí (que era todo el modo de proceder que llevaba en la oración) sin encerrar conmigo mis vanidades".

¡Qué bien sabía analizar su estado! ¿No es así también con frecuencia el nuestro? A distancia se extraña ella de haber podido soportar la pena interior sin abandonar uno u otro partido. Al fin comprendió que sólo Dios la había sostenido.

La Santa nos confiesa que no estaba en sus manos abandonar la oración porque el Señor no la dejaba, pues la reservaba para proporcionarle gracias mucho mayores que hasta entonces.

Su gran tormento durante los doce años transcurridos entre el retorno a la oración y la conversión efectuada en 1555, fue precisamente la sensación de *dualidad*. Un pensador pagano, Séneca, dijo: *Magna res est unum hominem agere*: gran cosa es hacer en sí la unidad.

Apasionada de lo absoluto, lo mismo que del orden, de la armonía, de la belleza y de la pureza, Teresa no podía tolerar la división que advertía en ella. En las horas de oración conocía una plenitud, elevándose a cimas en las que su alma respiraba a Dios, por así decirlo, a pleno pulmón. Cuando descendía de tales cumbres para hallarse de nuevo en este mundo de convencionalismos, de costumbres banales, de mezquinas relaciones, de charlas insignificantes, se sentía decaer y vivir en la mediocridad que le reprochaba su Jesús. Parecíale que se hallaba fuera de su verdadera patria, en el exilio. Este sufrimiento le produjo una exasperación que duró hasta el día en que ya no pudo soportar tal participación entre su Jesús y el mundo. ¡Cuánto deseaba y pedía librarse de tal situación!

"Mi alma —escribe ella— estaba muy cansada, pero a pesar de mis ardientes deseos, mis malos hábitos no le permitían estar tranquila.

"Suplicaba al Señor me ayudase, más debía faltar —a lo que ahora me parece— de no poner en todo la confianza en Su Majestad y perderla de todo punto en mí. Buscaba remedio, hacía diligencias; mas no debía entender que todo aprovecha poco si, quitada de todo punto de confianza de nosotros, no la ponemos en Dios. Deseaba vivir —que bien entendía que no vivía, sino que peleaba con una sombra de muerte— y no había quien me diese vida, y no la podía yo tomar; y quien me la podía dar, tenía razón de no socorrerme, pues tantas veces me había tornado a Sí y yo dejádole".

Sin saberlo ella, sin embargo, y hasta a través de estas congojas, se realizaba la obra de Dios y se producía una especie de maduración de la santidad en alma tan atormentada, pero también llena de elevados deseos.

La conversión

Teresa había llegado a un gran enclave de su vida, sin que se manifestara al exterior.

La saludable crisis que va a producirse hay que situarla hacia el año 1555, cuando la Santa tiene cuarenta años. Lo prueba el hecho de que relaciona su evolución con la lectura —una vez más un buen libro en su vida— de las *Confesiones* de San Agustín, y sabido es que la traducción al castellano de esa obra inmortal data del año 1554 y Teresa no podría tenerla sino unos meses después.

Mas dejemos que ella misma nos refiera lo sucedido. Hay dos hechos que ejercieron sobre ella acciones convergentes.

El primero fue el siguiente:

"Acaecióme que entrando un día en el oratorio, vi una imagen que habían traído allí a guardar, que se había buscado para cierta fiesta que se hacía en casa. Era de Cristo muy llagado, y tan devota, que, en mirándo'a, toda me turbó el verle tal. porque representaba bien lo que pasó por nosotros. Fue tanto lo que sentí de lo mal que había agradecido aquellas llagas, que el corazón me parece se me partía, y arrojéme cabe El con grandísimo derramamiento de lágr'mas, sup'icándole me fortaleciese ya de una vez para no ofenderle".

Así, pues, se produjo en ella de manera aparentemente fortuita, pero muy comprensible, lo que pudiéramos llamar un *"requerimiento psicológico"*, una especie de explosión interna, como resultante de un choque repentino sobre todo el conjunto de sentimientos acumulados en ella. Creía que esta vez se había desembarazado de sí misma y que sóla cantaba con la ayuda de su Jesús:

"Mas esta postrera vez —dice ella— de esta imagen que digo, me parece me aprovechó más, porque estaba ya muy desconfiada de mí y ponía toda mi confianza en Dios. Paréceme le dije entonces que no me había de levantar de allí hasta que hiciese lo que le suplicaba. Creo cierto me aprovechó, porque fui mejorando mucho desde entonces".

Aquí hace la santa un gran acto de humildad y clama a Dios ante su impotencia. Le confesó primeramente su nulidad y en seguida su confianza en El solo. Era lo que Dios esperaba. Y lo esperaba porque El la había llevado a aquel punto.

¿Cómo la había llevado? Ella misma nos lo expresa. Desde hacía tiempo tenía una especial devoción a los sufrimientos de Cristo, aunque algo interesadamente.

"Muchos años las más noches antes que me durmiese, cuando para dormir me encomendaba a Dios, siempre pensaba un poco en este paso de la oración del Huerto, aun desde que no era monja, porque me dijeron se ganaban muchos perdones; y tengo para mí que por aquí ganó muy mucho mi alma, porque comencé a tener oración, sin saber qué era, y ya la costumbre tan ordinaria me hacía no dejar esto como el no dejar de santiguarme para dormir".

El motivo de ganar indulgencias, sin ser muy elevado es, de todas formas, perfectamente lícito. Sin darse cuenta, había logrado agrandar en ella un culto especial a Jesús Doliente. De esta forma, la vista de dicha imagen —una estatua, según la tradición— que le mostraba de pronto a su Jesús producía en ella un prodigioso efecto al que se sumaban todos 'es tormentos que ya hemos descrito sentía su alma.

Las Confesiones

El golpe de gracia le vino a Teresa una vez más por medio de un libro. Ya hemos visto el principalísimo papel que iban desempeñando los libros en la vida de Teresa, beneficiosos los buenos y peligrosos los profanos.

"En este tiempo —dice la Santa— me dieron las 'Confesiones' de San Agustín, que parece el Señor lo ordenó, porque yo no las procuré, ni nunca las había visto. Yo soy muy aficionada a San Agustín, porque el monasterio donde estuve de seglar era de su Orden; y también por haber sido pecador, que en los Santos que después de serlo el Señor tornó a Sí, hallaba yo mucho consuelo, pareciéndome en ellos había de hallar ayuda; y que, como los había el Señor perdonado, podía hacer a mí: salvo que una cosa me desconsolaba, como he dicho, que a ellos una sola vez los había el Señor llamado, y no tornaban a caer, y a mí eran ya tantas que esto me fatigaba".

"Como comencé a leer las 'Confesiones', paréceme que me veía yo allí. Comencé a encomendarme mucho a este glorioso Santo. Cuando llegué a su conversión y leí cómo oyó aquella voz en el huerto, no me parece sino que el Señor me la dio a mí, según sintió mi corazón; estuve por gran rato que toda me deshacía en lágrimas, y entre mí misma con gran aflicción y fatiga".

"¡Oh, qué sufre un alma, válgame Dios, por perder la libertad que había de tener de ser señora, y qué de tormentos padece! Yo me admiro ahora cómo podía vivir en tanto tormento".

De esta forma se había realizado el gran cambio que ella deseaba. Los doce años de dolorosa oración que acababa de vivir quedaron fundidos en una profunda transformación. Teresa se sentía como renovada. La Teresa de Ahumada quedó convertida en Teresa de Jesús.

Vida nueva

Todo pasó, según lo hemos dicho, en la intimidad de su alma. En su exterior poco cambio se produjo. Continuó siendo aparentemente la misma, pero su espíritu ya no era el mismo. Los progresos se hacían visibles en la oración y luego fueron manifestándose en todos los aspectos de su vida. La dualidad por la que tanto sufría, fue desapareciendo poco a poco. La unidad se produjo mediante la unión con su Jesús. Pero dejemos que sea ella misma quien nos diga en qué consistió su "conversión" del año 1555.

"Apenas renuncié a las ocasiones peligrosas y me entregué más de lleno a la oración, el Señor empezó a concederme nuevas gracias y favores. Bien se ve que, después de lo pasado, solamente deseaba que estuviese en condiciones de recibirlos. Su Majestad empezó a darme *oración de quietud* y con frecuencia la de unión, que sólo duraba unos instantes".

A cada esfuerzo de su parte, correspondía el Señor con un nuevo don divino. ¿De qué esfuerzos se trataba? Sencillamente de acabar con lo que hasta entonces la había dividido. Ya hemos visto el acuertalamiento, por así decirlo, que caracterizó su vida durante el período 1543-1555. Le gustaba mucho acudir al locutorio y recibir frecuentemente visitas, con lo que perdía un tiempo precioso, aunque se esforzaba por convencerse de que

69

procediendo así hacía un bien espiritual a otros, cuando, en realidad, cultivaba el gusto de tener conversaciones brillantes, complacerse vanamente en sí misma y sentir la impresión de ser admirada y querida.

Después de haber visto claramente los peligros que en todo ello se encerraban, se fue apartando gradualmente de las ocasiones peligrosas.

"Me sentí inclinada —nos dice ella— a estar más y más con el Señor, y comencé a apartar las ocasiones de mi vista..."

Con estas palabras claramente nos da a comprender que estaba para romper sus relaciones con el exterior. Sin duda sus conversaciones en el locutorio eran desde hacía tiempo indudablemente inocentes, y sus confesores le aseguraban que nada malo había en su proceder. La misma Santa nos dice que durante meses, y a veces por espacio de un año entero, se guardaba mucho de ofender lo más mínimo al Señor, y que, en cambio, se daba de todo corazón a la oración, poniendo extremado cuidado en no cometer ninguna falta. Pero Dios le exigía todavía más. Si es cierto que estaba en regla con el Decálogo y no tenía nada de qué reprocharse desde el punto de vista de la regla monástica, según se vivía en torno suyo, parecíale, sin embargo, que cometía un verdadero "robo" siempre que no estaba con su Dios. Teresa no podía sustraerse a las llamadas de Jesús; le pesaban las conversaciones que no sostuviera únicamente con Él, y tenía por traición las charlas frívolas que hasta entonces se había procurado en el locutorio. Así, pues, se rodeó de la oración como de verdadera clausura, ya que su convento no la guardaba según imponía la primitiva regla de la Orden. En definitiva, dio un rotundo *no* a las llamadas del mundo porque quería dar un claro *sí* a las llamadas de Dios. Buscaba en sí cuanto debía sacrificar en homenaje al amor divino que llenaba su alma.

Con un poco de exageración nos dice que hasta entonces no había sabido lo que era mortificarse. Su regla no era nada relajada, pero se sentía insatisfecha porque no buscaba otras penitencias fuera de las que imponía la vida monástica y que si hacía alguna, más bien se buscaba a sí misma, cultivando en cierto modo el amor propio, que se introduce por doquier. Pero a partir de 1555 ya fue otra cosa y comenzó a realizar otras penitencias por su cuenta.

Ella misma nos refiere que empezó a amar cada vez más la penitencia, de la que se había apartado por efecto de su gran debilidad. El confesor que tenía le aseguraba que ciertas cosas no podían causarle ningún mal y que si Dios la afligía en cuanto a la salud, tal vez fuese porque se infligía penitencias en vez de atenerse a las que El tuviera a bien ordenarle. El Señor le ordenó ciertas mortificaciones que no eran del gusto de Teresa, pero que ella practicaba para obedecerle siguiendo lo que el confesor le señalaba.

No sabemos con certeza a lo que se refiere la Santa. Su primer biógrafo, el P. Ribera, muy bien informado de cuanto concernía a Santa Teresa, nos aseguraba que a partir de aquel tiempo llevó un mortificante cilicio y que se aplicaba frecuentes y prolongadas disciplinas, que hacían brotar la sangre de su cuerpo. Naturalmente que todo ello repugnaría a su naturaleza y para librarse de semejante penitencia objetaba su delicada salud. Pero su confesor, sin imponérsela, le aseguraba que no le dañaría y Teresa lo obedeció.

El P. Juan de Prádanos

He aquí un confesor severo, pero muy clarividente. Fue el primero en comprender que tenía que vérselas con un alma excepcional y que, por tanto, había que tratarla también de manera excepcional, es decir, aplicar en la práctica la parábola de los cinco talentos.

Durante mucho tiempo se había creído que el tal confesor era el célebre místico jesuita P. Baltasar Alvarez. Su turno vendría más adelante, pero en el tiempo a que ahora nos referimos se trataba de otro jesuita, el padre Juan de Prádanos.

"Este padre —escribe la Santa en su autobiografía— me comenzó a poner en más perfección. Decíame que para del todo contentar a Dios no había de dejar nada por hacer, también con harta maña y blandura, porque no estaba aún mi alma nada fuerte, sino muy tierna, en especial en dejar algunas amistades que tenía; aunque no ofendía a Dios con ellas, era mucha afección, y parecíame a mí era ingratitud dejarlas, y así le decía que, pues no ofendía a Dios, que por qué debía ser desagradecida. El me dijo que lo encomendase a Dios unos días y rezase el himno "Veni Creator" porque me diese luz de cuál era lo mejor.

"Habiendo estado un día mucho en oración y suplicando al Señor me ayudase a contentarle en todo, comencé el himno, y estándole diciendo, vínome un arrebatamiento tan súbito que casi me sacó de mí, cosa que yo no pude dudar, porque fue muy conocido.

"Fue la primera vez que el Señor me hizo esta merced de arrobamiento. Entendí estas palabras: *'Ya no quiero que tengas conversación con hombres, sino con ángeles'*.

"Ello se ha cumplido bien, que nunca más yo he podido asentar en amistad, ni tener consolación ni amor particular, sino a personas que entiendo le tienen a Dios y le procuran servir, ni ha sido en mi mano, ni me hace al caso ser deudos o amigos. Si no entiendo esto, o es persona que trata de oración, esme cruz penosa tratar con nadie. Esto es así, a todo mi parecer, sin ninguna falta".

Teresa iba a realizar grandes progresos bajo la guía de su confesor.

"Desde aquel día —es decir, a partir del de su arrobamiento— yo quedé tan animosa para dejarlo todo por Dios, como quien había querido en aquel momento —que no me parece fue más— dejar otra a su sierva, así que no fue menester mandármelo más; que como me veía al confesor tan asida en esto, no había osado determinadamente decir que lo hiciese. Debía aguardar a que el Señor obrase, como lo hizo, ni yo pensé salir con ello; porque ya yo misma lo había procurado, y era tanta la pena que me daba, que como cosa que me parecía no era inconveniente, lo dejaba. Ya aquí me dio el Señor libertad y fuerza para ponerlo por obra".

Cuanto más ardiente se mostraba Teresa en el servicio del Señor, mayor abundancia de gracias recibía de lo alto.

Vamos a verla agrandarse más y más cada día, al mismo tiempo que Dios la proveerá de las preciosas direcciones que alma tan excepcional necesitaba.

V. COMO PREPARO DIOS
UNA REFORMADORA

Grupito de perfección

Si grandes son las divinas exigencias cuando se trata de las relaciones ordinarias, es decir, de aquéllas en las que el alma tiene poco que ganar o en las que entra poco en cuenta el servicio de Dios, esto no quiere decir que Teresa tuviera que encerrarse en absoluta soledad. Había precisado perfectamente lo que el Señor le pedía. Aquí es donde empezaremos a comprobar lo mucho que había en ella de sentido común, de verdadera sabiduría, y cómo lograba evitar todos los excesos, aun dentro del amor de la soledad.

Como muy acertadamente lo ha observado el canónigo Lépée, la soledad de Teresa era una soledad con muchos. Cuando se considera lo que Dios le reservaba se comprende fácilmente dicha expresión. No tenía vocación de ermitaña, sino que sería una *reformadora*. En la época de su vida que estamos relatando todavía no sabía nada de ello y sería ciertamente la última en pensar en tal vocación. Pero Dios la iba preparando para semejante cometido.

Teresa tenía amigas y compañeras, primeramente dentro del mismo convento. Pronto se vio girar en torno suyo por esta época cierto número de religiosas fervorosas que deseaban serlo todavía más. Teresa se mezcló con ellas. Comprendía el gran consuelo que la Providencia encierra en las santas amistades. Hasta este momento, Teresa tenía reparos en ligarse con nuevas amistades, pero inducida, indudablemente por su prudente y sabio director espiritual, pronto fue menos reservada sobre el particular.

"Por mi parte —escribió la Santa más adelante— aconsejaría a quienes se dan a la oración, sobre todo en los comienzos, que buscasen buenas amistades y las relaciones con personas de los mismos pensamientos. Es una cosa harto importante, aunque no se hiciese más que ayudarse mutuamente para la oración pero por ese medio se procuran bastantes más ventajas..."

¡Qué humano es todo eso! ¡Y qué mesurada y abierta es esta simpática reformadora!

Sabía que Dios la había hecho muy sociable y no comprendía por qué no podía servirle el sentido social, tan innato en nosotros, para utilizarlo en el mejor servicio y amor de Dios. Y, como quiera que de ordinario, hay mucha dejadez en nuestra naturaleza, es muy conveniente que varias personas se pongan de acuerdo para llevar en común a buen término santas resoluciones y esfuerzos de perfección. La simpatía tiene, desde luego, ciertos peligros, mas también indudable utilidad. Teresa estaba por las santas amistades y por eso escribió: "Este concierto querría hiciésemos los cinco que al presente nos amamos en Cristo,[1] que como otros en este tiempo se juntaban en secreto para contra Su Majestad y ordenar maldades y herejías (se refería a los luteranos y demás protestantes) procurásemos juntarnos alguna vez para desengañar unos a otros y decir en lo que podríamos enmen-

---

1. García de Toledo, Domingo Báñez, Gaspar Daza y Franco Sa'cedo.

darnos y contentar más a Dios".

No quería amistades profanas y las rehuía a costa de cualquier sacrificio. Las deseaba piadosas con el fin de llevarlas a su adorado Jesús.

El amor de Dios no va contra el amor del prójimo, antes bien lo engendra y alimenta. "El segundo mandamiento es similar al primero: Amarás al prójimo como a ti mismo".

Las amistades de Teresa

Fácil sería hacer una lista de sus amistades. Nos dice que sus superiores, basándose a buen seguro en que estaba dotada del don de la palabra para agradar, animar, consolar y reconfortar, le daban a veces la orden de salir del convento para visitar a tal o cual bienhechora. Sabemos que pasó algunos días primeramente en casa de una pariente. Pero su primera y mayor amistad fue la que se entabló entre ella y una joven viuda llamada Da. Guiomar de Ulloa.

En ella vio una gran gracia de Dios.

"Gracias al Señor —dice ella— trabé amistad con una viuda, señora de calidad y mujer de oración . . . Permanecí en su casa muchos días . . ."

A nuestro entender, siendo así que todo ello lo vemos conociendo los acontecimientos que se sucederían, fue realmente providencial semejante amistad. Teresa iba a tener necesidad de luces especiales, fuera de lo ordinario. Y fue, precisamente, esta amiga suya quien le proporcionó los más elevados consejos y las más luminosas directivas.

En casa de esta amiga permaneció por esta época tres años seguidos y luego aún volvió otra vez.

Escribiendo Teresa por la Navidad del año 1561 a su hermano Lorenzo, que estaba en "Las Indias", le pudo decir:

"Hace más de cuatro años que nos profesamos la una a la otra mayor amistad de la que cabe entre dos hermanas".

Doña Guiomar tenía su palacio —era una señora muy rica y bienhechora— no lejos del colegio que acababan de fundar los jesuitas, y su confesor era un sacerdote de la Compañía. Casi no pasaba por Avila persona de relieve a la que Doña Guiomar no le ofreciese hospitalidad con el fin de que Teresa se aprovechase de ella. Así tuvieron ocasión de tratar ambas a los más sabios teólogos de la época.

Juntamente con Teresa había en la casa de doña Guiomar otra sierva de Dios, María Díaz del Vivar, a quien llamaban corrientemente Maridíaz, excelente persona, muy piadosa y fervorosa, que le llevaba a nuestra Santa veinte años. Las tres mujeres hacían casi vida conventual. Sólo salían de casa para los divinos oficios, los sermones o para confesarse. El resto del tiempo lo empleaban en meditar, rezar el oficio y en buenas lecturas. No perdían ningún momento en vanas conversaciones. Sólo después de la comida del mediodía y de la cena se permitían unos instantes de recreo, es decir, de piadosa plática. Por ser el momento de descanso, hablarían sin duda de muchas cosas, pero la mayoría de las veces recaía su conversación sobre las lecturas hechas, las gracias recibidas, los problemas entrevistos y los casos de conciencia a resolver.

Las confidencias debían ir muy lejos, puesto que años más tarde diría Teresa a propósito de Maridíaz:

"Me acuerdo con frecuencia de una Santa a quien conocí en Avila. Sí, muy santa fue su vida: había dado todos sus haberes a Dios. La única cubierta que le quedaba, también la entregó. El Señor la hizo pasar por grandes pruebas interiores y sequedades. Con tal motivo se lamentaba y decía: ¿Así os portáis, Señor? Después de habéroslo dado todo, aún me abandonáis?

Teresa estuvo, pues, al corriente, de sus cuitas. En cuanto a doña Guiomar, ésta sentía increíble admiración por Teresa, habiendo replicado a una de sus hijas que se mostraba celosa de la amistad tan íntima que la unía con nuestra Santa: "Ya te he dicho, hija mía, que si te contara lo santa que es y los favores que ha recibido del Señor, te asombrarías".

Cuesta trabajo no ver en esta existencia a tres en casa de doña Guiomar, una especie de prefiguración del Carmelo reformado. En los designios de Dios era preciso este ensayo de vida en común con práctica intensa de la oración, para preparar la fundación de los conventos que Teresa iba a ser pronto llamada a establecer.

Teresa, por su parte, estrechaba por ese medio unas amistades que luego serían especialmente útiles en el curso de las batallas que se vería forzada a entablar en pro de su Reforma del Carmelo.

Pero la mayor utilidad que sacó Teresa de su íntima unión con doña Guiomar fue, seguramente, la facilidad que tuvo para consultar a los mejores teólogos y directores de almas de aquella época con objeto de ver claro en los estados de oración por los que pasaba y en los que a veces se ponía a temblar creyéndose posible víctima del demonio o de alguna oculta ilusión propia de su naturaleza. Tan al margen se sentía de muchas de sus cohermanas del convento de la Encarnación que temía equivocarse. Es lo que les ocurre a las grandes almas: al sentirse incomprendidas, precisamente por motivo de su grandeza, se retiran a la soledad. Además, se les hablaba tantas veces de ciertos herejes exaltados, *alumbrados* o *abandonados*, como entonces se decía, que ella sintió en ocasiones verdadero pánico. ¿No podía ser una alumbrada, una falsa abadonada a Dios, y, en consecuencia una presa del espíritu maligno?

Mas con su buen sentido común decíase Teresa: si yo no sé discernir bien lo que pasa en mi alma, sí lo sabe la Iglesia, que tiene sus representantes. Alguien encontraré que todo me lo esclarezca, puesto que sólo deseo ser una buena hija de la Iglesia.

Consultas

Vamos a situar en la vida de Teresa toda una serie de altas consultas, tales como sólo cabe encontrar en ella.

Se ha podido establecer la lista de todos los sabios —letrados decía— a los que consultó en diversas épocas de su vida. El número de ellos se eleva a *treinta y ocho*. Hay en la lista primeramente quince dominicos, el más ilustre de los cuales es, seguramente el Padre Báñez; diez jesuitas, entre quienes se encuentra un gran Santo, Francisco de Borja, el tercer superior general de la Compañía; un fraile menor, pero de gran renombre, Pedro de Alcántara; cuatro carmelitas, entre los cuales hay que citar al más ilustre de los doctores y místicos, San Juan de la Cruz, y, en fin, diversos prelados y sacerdotes seglares.

Jamás dejaba de solicitar la ayuda de los hombres más sabios de su tiempo y de los libros más seguros para poner en claro lo que sucedía en su espíritu. En esto razonaba con su habitual clarividencia:

"Viendo que mis temores iban tan lejos, porque la oración se hacía cada vez más intensa, parecióme que en ello había un gran bien o un gran mal. Bien comprendía que lo que notaba en mí era sobrenatural, porque a veces no podía resistirlo y además no podía tenerlo cuando lo deseaba. Díjeme que lo único que tenía que hacer era conservar mi conciencia cuidadosamente pura y apartarme de toda ocasión, aunque fuere de pecado venial. De tratarse de espíritu de Dios, el beneficio sería evidente. De ser cosa del demonio, procurando agradar al Señor y no ofenderle, poco mal podría hacerme el maligno, y por el contrario, saldría perdiendo".

Pero esto no resolvía los problemas y necesitaba consultar a personas de gran consejo.

Comenzó a hacerlo a partir del año 1556, uno después de su "conversión". Primeramente había pensado en los jesuitas, pero no atreviéndose a verse con ellos, se dirigió a un sacerdote secular, Gaspar Daza. Para ello rogó a un amigo de su familia, Francisco Salcedo, que conocía al tal sacerdote, que la pusiese en relación con él. Francisco Salcedo era una de las personas más instruidas. Había cursado teología con los dominicos por espacio de veinte años y practicaba la oración desde hacía mucho. Teresa nos ha transmitido de él un retrato elogioso y expresivo, como tan bien sabía hacerlo: "Es casado, mas de vida tan ejemplar y virtuosa, y de tanta oración y caridad, que en todo él resplandece su bondad y perfección; mucho entendimiento y muy apacible para todos; su conversación no pesada, tan suave y agraciada, junto con ser recta y santa, que da contento grande a los que trata; todo lo ordena para gran bien de las almas que conversa, y no parece traiga otra intención sino hacer por todos los que él ve se sufre y contentar a todos".

También era Gaspar Daza un santo varón, conocido en Avila por su celo, su piedad y su talento como predicador y director espiritual.

Teresa quedó muy impresionada cuando tuvo que hacerle confidencias acerca de su alma y de su oración. Quedó todavía más desconcertada cuando el sacerdote se negó a oírla en confesión, alegando sus muchas ocupaciones. Tras las confidencias recibidas, Gaspar Daza consideró a Teresa muy firme en santidad y se limitó a recomendarle una ejemplar fidelidad. La recomendación descorazonó a nuestra Santa. No se sentía capaz de volar tan alto.

"En fin entendí —escribe Teresa— no era por los medios que él me daba por donde yo me había de remediar, porque eran para alma más perfecta".

Más tarde comprendió la Santa que todo había sucedido por voluntad de Dios. La Providencia quería que buscase otros directores.

Francisco de Salcedo se equivocó todavía más. Teresa le había rogado que no le privase de sus

82

consejos; él se los había prometido y quiso dárselos. La Santa encontró primeramente gran consuelo en sus conversaciones con él, pero cuando le hizo confidencia de parte de las gracias que le había otorgado el Señor, mas también de las imperfecciones que ella creía tener en sumo grado, no comprendió que éstas habían sido agrandadas por la humildad de Teresa, y viendo un flagrante contraste entre los favores recibidos y los actos que les habían seguido, estimó que todo aquello bien podía ser obra del demonio, empeñado en hacerle ver que poseía un alto grado de oración. Tan mal se explicaba lo que sucedía en ella, que recurrió a un libro poco antes publicado, de Bernardino Laredo, un médico que se había hecho franciscano, y llevaba por título *Subida del Monte Sión*. La Santa meditó los pasajes que mejor le parecían traducir su propio estado y se mostró decidida a abandonar la oración si sus consejeros aseguraban que era víctima de las alucinaciones demoníacas. Sin embargo, ¡qué gran dolor experimentaba al decir semejante cosa! Teresa describe en su *Vida* las congojas que pasaba, haciéndolo en términos realmente emocionantes. Suplicó a sus directores de almas que reflexionasen mucho antes de emitir su veredicto.

"Es grande, por cierto —dice la Santa—, el trabajo que se pasa y es menester tiento, en especial con mujeres. porque es mucha nuestra flaqueza, y podría venir a mucho mal diciéndoles muy claro es demonio".

Teresa debió sufrir horriblemente cuando los señores Salcedo y Daza le dijeron que "a todo su parecer de entrambos era todo obra del demonio".

83

Menos mal que sentían verdaderas dudas acerca de su conclusión y aconsejaron a Teresa consultase a un padre de la Compañía de Jesús.

Los jesuitas en ayuda de Teresa

Teresa se hallaba de nuevo en su convento. No sin gran temor siguió la Santa el consejo que se le había dado. "También me daba pena —leemos en el libro de su vida— que me viesen en casa tratar con gente tan santa como los de la Compañía de Jesús". El primer jesuita que acudió a la reja del convento fue el P. Diego de Cetina, y su parecer fue muy consolador.

"Tratando con aquel siervo de Dios —que lo era harto y bien avisado— toda mi alma, como quien bien sabía este lenguaje, me declaró lo que era y me animó mucho. Dijo ser espíritu de Dios muy conocidamente, sino que era menester tornar de nuevo a la oración, porque no iba bien fundada, ni había comenzado a entender mortificación (y era así, que aun el nombre no me parece entendía) y que en ninguna manera dejase la oración, sino que me esforzase mucho, pues Dios me hacía tan particulares mercedes; que qué sabía si por mis medios quería el Señor hacer bien a muchas personas, y otras cosas, que parece profetizó lo que después el Señor ha hecho conmigo, que tenía mucha culpa si no respondía a las mercedes que Dios me hacía. En todo me parecía hablaba en él el Espíritu Santo para curar mi alma, según se imprimía en ella".

Teresa respiró.

"Dejóme consolada y esforzada —añade— y el Señor que me ayudó, y a él para que entendiese mi condición y cómo me había de gobernar".

San Francisco de Borja

En su *Vida*, que viene a ser algo así como una confesión general, nos dice Teresa que autorizaba a todos sus confesores a publicar sus faltas y defectos. Por lo que se deduce, debía empezar sus consultas haciendo previamente confesión general, sometiendo su caso a todas las autoridades teológicas de su tiempo. Así se explica que no pasaba por Avila persona de relieve en el campo espiritual a la que no consultase exponiéndole cuanto sucedía en su alma.

Con motivo de visitar Avila el célebre P. Francisco de Borja, antiguo Duque de Gandía, que, dejándolo todo se había hecho jesuita, Francisco de Salcedo y el confesor de la Santa, P. Diego de Cetina, le facilitaron una entrevista con el eximio religioso.

"Después de haberme oído —nos refiere Teresa— díjome que era espíritu de Dios y que le parecía no era bien ya resistirle más, que hasta entonces estaba bien, sino que siempre comenzase la oración en un paso de la Pasión; y que si después el Señor me llevase el espíritu, que no lo resistiese..."

Por lo que se desprende de estas palabras se ve que antes le habían recomendado resistirse a la invasión de las elevadas gracias místicas. Para S. Francisco de Borja era un craso error. Este Santo hablaba, según dice la misma Teresa, por propia experiencia "Como quien iba delante —son sus palabras— dio la medicina y consejo, que hace mucho en esto la experiencia".

El P. Juan de Prádanos

Por este tiempo mudaron al confesor de Teresa, P. Diego de Cetina, a quien sus superiores enviaron a otro lugar, y ella lo sintió mucho, pareciéndole que no podría hallar otro director espiritual como él. Entonces fue cuando entró en estrechas relaciones con doña Guiomar de Ulloa, quien la encaminó a su propio director de espíritu, el P. jesuita Juan de Prádanos, de cuyas excelentes cualidades ya hemos hecho mención. Parece ser que dirigió a nuestra Santa durante algo más de un año, es decir, desde finales de 1557 a principios de 1559, en que fue trasladado a Valladolid.

Dificultades inesperadas

Tal vez se pregunte algún lector por qué exigía tanta luz y tanto saber la dirección de un alma como la de Teresa de Jesús. De ocurrir así con todas las almas, ¿de dónde sacar los directores espirituales para conducirlas a puerto de claridad?

No hay para extrañarse porque en el caso de Teresa concurrían circunstancias realmente excepcionales. Caía en éxtasis —al menos a partir de 1558— oía palabras sobrenaturales o "locuciones", como entonces decían, desde 1557, según ya lo hemos visto. Pronto tendría "visiones" (1559-1560). Eso se decía en la ciudad. Sobre su caso se discutía por todas partes y en muchos se notaba una resuelta malquerencia. A Teresa le entraba miedo. Ya hemos dicho lo mal que habían interpretado su estado espiritual los señores Salcedo y Daza, y es que se trataba de un caso de los más difíciles en lo que San Ignacio denominaba "discernimiento de los espíritus". Algo más tarde, San Juan de la Cruz se mostraría bastante desconfiado en cuanto a tales manifestaciones extraordinarias.

Es muy comprensible que los directores espirituales de Teresa temiesen equivocarse y equivocarla a ella, tanto más que por aquella época no faltaban en España las almas seducidas por el demonio.

Teresa dedicó todo el capítulo XXV de su *Vida* a exponer sus experiencias y los temores que la embargaban. Con frecuencia sobrepasaba cuanto sabían aquéllos a quienes acudía para que la dirigieran. Se ha dicho, y no sin razón, que más fue directora de sus directores que dirigida por ellos. Su caso les abría horizontes desconocidos. Se veían obligados a entender en problemas que no habían explorado con anterioridad. Iban por caminos que no conocían experimentalmente. Este fue el caso concreto del P. jesuita Baltasar Alvarez, joven sacerdote que estaba llamado a una elevada espiritualidad. Sucedió en la dirección de Teresa al prudente Juan de Prádanos. La dirección del joven jesuita duró tres años. Hizo sufrir atrozmente a la Santa debido a sus vacilaciones y temores, que no podía superar. Pero todo ello fue permitido por Dios para hacerla más flexible, humilde y abandonada en el Señor:

"Todo eso —dice ella— era necesario porque hasta entonces no había tenido una voluntad muy dócil. Díjome el Señor una vez que no era obedecer si no estaba determinada a padecer, que pusiese los ojos en lo que El había padecido y todo se me haría fácil".

El P. Baltasar Alvarez, hostil en un principio a las manifestaciones extraordinarias en Teresa, terminó, no obstante, viéndolas multiplicarse a despecho de los esfuerzos de su penitente, y al comprobar su sumisión y creciente virtud, acabó por mudar de parecer. Aunque se tratase de obra del demonio, declaró, no habría nada que temer, puesto que Dios sabría sacar bien del mal. A fuerza de estudiar su caso, halló finalmente la justa solución.

Mas terminaremos por percatarnos de la amplitud de los sufrimientos de Teresa leyendo en el capítulo XXV de su Vida estas líneas:

"¿Qué es esto? Es sin duda que tengo ya más miedo a los que tan grande le tienen al demonio que a él mismo; porque él no me puede hacer nada, y estotros, en especial si son confesores, inquietan mucho, y he pasado algunos años de tan gran trabajo que ahora me espanto como lo he podido sufrir. ¡Bendito sea el Señor que tan de veras me ha ayudado!"

Pedro de Alcántara

Pero el Señor no abandonaba a su sierva. A lo que parece, la había elegido precisamente para dar nuevas luces sobre las más altas operaciones de su gracia en el seno de la Iglesia. Cuanto más avanzamos en su vida, tanto más nos convencemos de esto. Cierto es que se discutía acaloradamente sobre ella y sus estados, pero tales discusiones dieron sus frutos y es probable que la misma fama de santidad, que se difundía entre numerosas y grandes contradicciones en torno de su persona, contribuyera no poco al éxito de su obra reformadora y fundadora. Sin lugar a dudas, la Santa no pensaba por esta época en ninguna fundación, pero se completaba su formación a tal efecto, y, de ordinario, tras las grandes perplejidades en las que la ponían los confesores, le enviaba Dios una respuesta segura y una sentencia autorizada para tranquilizarla en medio de sus terribles dudas.

Esto ya le había sucedido con S. Francisco de Borja y se reprodujo con San Pedro de Alcántara, uno de los místicos más asombrosos de su siglo.

Este Santo, que también conocía los éxtasis, acababa de intentar la reforma de su orden, la de los franciscanos. El papa reinante, Pablo V lo había autorizado para fundar cuantos conventos de reformados pudiere y se presentó en Avila por el verano de 1560. Teresa había dejado la casa de su amiga doña Guiomar para volver, llena de confusión y de temores, a su convento de la Encarnación. Pero doña Guiomar, que conocía al bendito Fray Pedro, consiguió del Provincial que Teresa estuviese en su casa ocho días, con el fin de relacionarla con el gran Santo.

"Como le di cuenta en suma de mi vida —escribe la Santa— y de la manera de proceder en oración con la mayor claridad que supe (que esto he tenido siempre: tratar con toda claridad y verdad con los que comunico mi alma, hasta los primeros movimientos querría yo les fuese públicos, y las cosas más dudosas y de sospecha yo las argüía con razones contra mí); así que sin doblez y encubierta le traté mi alma. Casi a los principios vi que me entendía por experiencia, que era todo lo que yo había menester; porque entonces no me sabía entender como ahora para saberlo decir, que después me lo ha dado Dios que sepa entender y decir las mercedes que Su Majestad me hace... El me dio grandísima luz, y me dijo que no tuviese pena, sino que alabase a Dios y estuviese tan cierta que era espíritu de suyo, que si no era la fe, cosa más verdadera no podía haber, ni que tanto pudiese creer... Díjome que uno de los mayores trabajos de la tierra era el que había padecido, que es contradicción de buenos... Dejóme con grandísimo consuelo y contento, y con que tuviese la oración con seguridad, y que no dudase era cosa de Dios..."

Al propio tiempo San Pedro de Alcántara le prometió tomar su defensa ante sus contrarios. Se encomendó a sus oraciones y le prometió tenerla presente en las suyas. Finalmente le permitió que le escribiese en caso de que encontrase nuevas dificultades en su camino.

Nunca se insistiría demasiado sobre estas discusiones que duraron más de cinco años. Por ellas se hizo Teresa lo que Dios quería de ella: una maestra de oración. Realizó grandes progresos en lo que, según San Ignacio de Loyola hemos llamado el discernimiento de los espíritus.

¿En qué se reconoce lo que es obra de Dios o de Satanás en un alma? ¿Cómo discernir entre dos espíritus contrarios? Cristo dio a este respecto una respuesta precisa: "Por los frutos se conoce el árbol". No se vendimian uvas de los espinos ni se sacan higos de las zarzas. Y Teresa, como Francisco de Borja y Pedro de Alcántara, dedujo que todo cuanto produce en el alma, humildad, luz y amor, viene de Dios. no pudiendo proceder en modo alguno del demonio.

Después de tan prolongadas experiencias, ya estaba madura para la realización de la sublime obra que Dios le había señalado, siendo posible que el paso del reformador Pedro de Alcántara y el emocionante espectáculo de su espíritu de pobreza, junto a un eminente espíritu de oración, le abriese los ojos o al menos los puntos de vista acerca de la utilidad de reformar el Carmelo.

Había llegado para Teresa la hora de seguir su vocación de reformadora que haría su nombre inmortal.

VI. TERESA, REFORMADORA DEL CARMELO

Los comienzos

En virtud de la conclusión a la que acabamos de llegar, no nos detendremos en lo que podría llamarse la "imaginería" de las visiones de Teresa, ni siquiera en una de las más célebres que tuvo tras el paso por Avila de San Pedro de Alcántara: la visión del infierno.

Teresa de Jesús tuvo visiones como las que guiaban a Juana de Arco y apariciones como las de Bernardita. Es indudable que en unas y otras existe lo que los psicólogos llaman "la ecuación personal" es decir, la intervención de la imaginación en la elaboración de las mismas visiones. Pero esta parte de imaginación no destruye la parte sobrenatural. que subsiste por entero. Como hemos dicho, hay que fijarse en los frutos. El fruto, para Juana de Arco, fue la liberación de su Patria; para Bernardita, la peregrinación de Lourdes y para Teresa de Jesús, la reforma del Carmelo.

Cada visión, y en especial la terrorífica del infierno, que se produjo hacia finales de 1560. la fortalecía en su deseo de ser toda y únicamente de Dios. Esto mismo la inducía a querer que la regla del Carmelo tuviese su primer estado de perfección.

Un buen día, cuando más abismada estaba en estos pensamientos, se verificó una pequeña reunión en torno suyo en el convento de la Encarnación, de Avila. Allí estaban su vieja y muy querida amiga Juana Suárez, dos jóvenes religiosas, María de S. Pablo y Ana de los Angeles, así como a.gunas personas de fuera, parientes de Teresa en su mayoría, dos de las cuales, por lo menos, compartían su celda.

Hablaban de los Padres del desierto. Ya sabemos que Teresa no podía tolerar las charlas puramente profanas.

"De palabra en palabra —dice Ribera, el primer biógrafo de nuestra Santa— estas jóvenes, a quienes todo parecía fácil, vinieron a preguntarse, medio en serio y medio en broma, por qué no tenían que vivir a la manera de las franciscanas descalzas: después de todo podían fundar un convento".

Una de las reunidas, María de Ocampo, precisamente la más frívola en apariencia, la más amiga de novelas y de toilette, gritó, dirigiéndose a Teresa: "¡De mi dote daré yo mil ducados!" Mil ducados eran algo así como 15 millones de pesos de los de ahora.

Pocos días después, habiéndola visitado doña Guiomar de Ulloa, Teresa la puso al corriente de sus propósitos, y la virtuosa viuda se mostró entusiasmada.

La idea estaba lanzada. Pero Teresa, aunque seducida en el fondo, tenía demasiado buen sentido para no calcular las dificultades. ¿Podía arriesgarse a semejante aventura siendo mujer tan discutida como ella? ¿Qué dirían en su convento? ¿Qué diría toda la ciudad? Además, apreciaba mucho a su convento y en él podía rezar y meditar cuanto le viniese en gana.

Pero en vez de atenerse exclusivamente a estos razonamientos había que conocer la voluntad de Dios, que, en definitiva, era lo único que debía contar.

Teresa oró e hizo que orasen sus demás compañeras y se produjo la respuesta del cielo:

"Habiendo un día comulgado —dice ella— mandóme mucho Su Majestad lo procurase con todas mis fuerzas, haciéndome grandes promesas de que no dejaría de hacer el monasterio, y que se serviría mucho en él, y que se llamase San José y que a la una puerta nos guardaría él y nuestra Señora la otra y que Cristo andaría con nosotros; y que sería una estrella que diese de sí gran resplandor y que, aunque las religiones estaban relajadas, que no pensase se servía poco en ellas, que qué sería del mundo si no fuese por los religiosos; que dijese a mi confesor esto que me mandaba, y que le rogaba El que no fuese contra ello ni me lo estorbase".

La decisión

Bien se iba a comprobar si las visiones y "locuciones" de Teresa eran o no ilusiones diabólicas. Ella vaciló mucho antes de decidirse a hablar de ellas. Habló de las mismas por escrito a San Pedro de Alcántara, cuyo ejemplo ya hemos dicho que pudo ser contagioso. Además se sinceró con su confesor, el P. Baltasar Alvarez, quien, algo en prevención, no se atrevió, sin embargo, a oponerse. Le aconsejó que hablara del asunto al Padre Provincial de los carmelitas.

Como se ve, las visiones no servían más que de indicaciones, de impulsos, sin que tuviesen la última palabra.

Doña Guiomar se encargó de informar al Padre Provincial, que era el P. Gregorio Fernández, de lo que se trataba. El Padre, en contra de lo que cabía esperar, aprobó la idea. Prometió aceptar en su jurisdicción el futuro monasterio reformado. Se determinó que no aceptase en él más de trece religiosas, porque los conventos demasiado numerosos se prestaban menos a guardar la reforma. En seguida se empezó a discutir los medios económicos para su sostenimiento.

Por desgracia, el proyecto se divulgó en seguida y se desató una inmediata oposición. Todos volcaban la responsabilidad sobre doña Guiomar. La misma Teresa se sentía quebrantada. El Padre Alvarez vaciló siempre en pronunciarse. Decidióse, pues, consultar a una importante autoridad del lugar, al Padre Pedro Ibáñez, dominico, teólogo muy conocido por su ciencia y prudencia. El Padre se mostró poco favorable a priori, mas una vez que todo lo hubo oído y examinado, después de reflexionar por espacio de ocho días, cambió completamente de parecer y se declaró dispuesto a favorecer la empresa contra cualquier oposición. Este juicio fue decisivo. Salcedo y Daza se sumaron a él por entero. Teresa y doña Guiomar, desafiando toda hostilidad, se dedicaron a buscar una casa que reuniese las debidas condiciones.

El Padre Fernández, provincial de Teresa, le retiró su autorización. El Padre Alvarez, a su vez, declaró que él nunca había dado su consentimiento. En toda Avila se mofaban del proyecto, comentándose que al fin se iba a hacer entrar en vereda a aquellas cabezas desequilibradas. Teresa veía cómo caían en el ridículo y quedaban reducidas a la nada sus "pretendidas revelaciones". Incluso se hablaba de entablar recurso ante la Inquisición en contra de las "alumbradas" que habían ideado semejante proyecto.

Cuando todo parecía perdido, ocurrieron unos hechos inesperados que cambiaron la situación radicalmente. El P. Ibáñez empezó a mostrarse más firme que nunca en su apoyo al grupo de Teresa. Por otra parte, se cambió de rector en el colegio abulense de la Compañía y el nuevo superior, P. Gaspar de Salazar, puesto al corriente de todo por el P. Alvarez, confesor de nuestra Santa, se pronunció en favor de las aspiraciones de Teresa y sus compañeras, influyendo su postura para que también se sumase al grupo de los sostenedores de la causa de nuestra Santa su confesor, el citado P. Alvarez. Sólo subsistía la oposición del Padre Provincial carmelita, más personal que otra cosa. Por lo mismo, Teresa resolvió actuar por medio de otras personas. A tal fin interesó la presencia en Avila de su hermana menor y de su marido, don Juan de Oval'e, a quienes encargó la compra y accndicionamiento de la casa donde debía instalarse el nuevo monasterio. Por estos días, nuestra Santa recibió una importante cantidad de dinero de su hermano Lorenzo, que se había enriquecido en América. De esta forma, todo quedó satisfactoriamente resue'to para la puesta en marcha del convento reformado.

Teresa en Toledo

A pesar de todas las precauciones, los trabajos que se hacían para el futuro convento no pasaron desapercibidos y empezaron a suscitarse indiscretas curiosidades. Teresa temblaba ante la posibilidad de enfrentarse con su Padre Provincial, a quien, por lo demás, profesaba gran respeto e incluso veneración, no queriendo contristarlo por nada del mundo. Pero Dios proveyó a todo de la manera más insospechada.

De Teresa se hablaba muy lejos de Avila y su fama llegó a oídos de una gran señora, Luisa de la Cerda, sobrina del duque de Medinaceli, que acababa de perder a su marido el 13 de enero de 1561. En su dolor, se le recomendó la presencia en su domicilio de Teresa de Avila, como la religiosa más indicada para consolarla y ayudarle en su deprimido estado. Ya hemos visto que las costumbres de aquellos tiempos no se oponían a que una religiosa saliera de su convento para ir a casa de sus padres o de otras personas. Luisa de la Cerda pidió al Provincial carmelita que le enviase a Teresa, a quien tendría sumo placer de recibir en su casa de Toledo. Tras alguna vacilación. el Padre Provincial accedió a los deseos de la noble señora, y Teresa recibió su "obediencia" en la Nochebuena de 1561. Nuestra Santa se mostró en principio contrariada, pensando en la muerte que pudiese correr la fundación del nuevo convento con su obligada ausencia. Pero le animó el rector de los jesuitas, P. Gaspar de Salazar, que tan favorablemente se le mostraba. Salió, pues, Teresa de Avila y con ello quedaron soslayados graves peligros. Viéndola partir, sus adversarios se vieron desarmados por cierto tiempo. Los trabajos del futuro convento prosiguieron sin interrupción bajo la dirección de su hermana y cuñado. Por otra parte, se habían formulado peticiones a Roma para la debida autorización de la nueva fundación.

Otra consecuencia del viaje a la imperial Toledo fue que Teresa logró un éxito rotundo en la tarea que se le había encomendado. Adquirió experiencia de un ambiente que antes no había tenido ocasión de frecuentar, pudiendo así empezar a juzgar de modo conveniente la gran miseria de los privilegiados de este mundo.

"Saqué una ganancia muy grande y decíaselo —escribe la Santa—; vi que era mujer y tan sujeta a pasiones y flaquezas como yo, y en lo poco que se ha de tener el señorío, y cómo, mientras es mayor, tienen más cuidados y trabajos y un cuidado de tener la compostura conforme a su estado, que no las deja vivir".

La fama de Teresa fue agrandándose, pues todo Toledo conocía su proceder en el palacio de Luisa de la Cerda. La Providencia acababa de abrirle las puertas de un mundo en que encontraría las más poderosas ayudas para la obra que debía realizar.

Regreso a la ciudad de Avila

Hacía seis meses que se hallaba en Toledo cuando el Provincial llamó a Teresa pensando nombrarla priora del convento de la Encarnación. La Santa obedeció, como era su costumbre, y regresó a Avila a principios de julio de 1562. El mismo día de su llegada, se recibió el breve pontificio autorizando la fundación del primer convento carmelita reformado de San José. El breve se dirigió a doña Guiomar y a su madre, autorizándolas a fundar un monasterio en Avila que se compondría de religiosas carmelitas pero puesto bajo la obediencia del obispo del lugar y no de los superiores de la Orden.

El obispo había oído hablar de Teresa, como todo el mundo, mas no la conocía personalmente. Cuando tuvo el breve en su poder, empezó por dar su consentimiento, pero una cuestión promovida por Teresa estuvo a punto de echarlo todo a rodar. En Toledo había conocido a una "beata" de su Orden, María de Jesús Yepes, que había obtenido del Paua Pío IV permiso para fundar un convento de Descalzas, como el que pensaba crear Teresa. Pero le había informado que las primeras constituciones prohibían poseer casa, rentas, tierras y demás.

Teresa, verdadera admiradora de Pedro de Alcántara, se entusiasmó con la idea de vivir en perfecta pobreza. Pedro de Alcántara, por su parte, había insistido en esto por medio de una carta apremiante que le había escrito. Los teólogos consultados se mostraron dispares en su juicio, pero Teresa se mantuvo firme y suplicó al obispo que le permitiese establecer el convento a base de la más absoluta pobreza. El prelado no fue del mismo parecer y en principio se opuso a tal demanda. Creía que a las futuras religiosas se les iba a exigir más allá de lo aconsejado por la prudencia y de lo que pueden resistir las fuerzas humanas. Fue precisa una intervención personal de San Pedro de Alcántara y una entrevista con Teresa para que el obispo se dejase convencer. Como muy bien lo advierte un historiador de la Santa, no había quien se resistiese a su gracia especial y a sus encendidas palabras.

La fundación de San José de Avila

¡Qué alegría más inmensa la de Teresa cuando quedó fundado su pobre y pequeño monasterio de

San José! Mas dejemos que ella misma nos exprese sus sentimientos:

"Pues todo concertado, fue el Señor servido que día de San Bartolomé, tomaron hábito algunas, y se puso el Santísimo Sacramento,[1] y con toda autoridad y fuerza quedó hecho nuestro monasterio del gloriosísimo padre nuestro San José, año de mil y quinientos y sesenta y dos. Estuve yo a darles el hábito y otras dos monjas de nuestra casa misma que acertaron a estar fuera.[2]

"Pues fue para mí como estar en una gloria ver poner el Santísimo Sacramento y que se remediaron cuatro huérfanas pobres porque no se tomaban con dote —y grandes siervas de Dios (que esto se pretendió al principio, que entrasen personas que con su ejemplo fuesen fundamento para que se pudiese el intento que llevábamos de mucha perfección y oración efectuar) y hecha una obra que tenía entendido era para el servicio del Señor y honra del hábito de su gloriosa Madre, que éstas eran mis ansias..."

Las últimas líneas resumen todo el secreto de Teresa. No separa la perfección de la oración. Podríamos asegurar que su vocación en el seno de la Iglesia fue poner en evidencia la estrecha ligación entre esos dos puntos esenciales.

El júbilo de la santa madre no tardó en verse turbado por violentos huracanes. En primer lugar y sólo tres o cuatro horas después de la ceremonia de la inauguración, el demonio le hizo sentir terri

1. Fueron éstas Antonio Henao, que tomó el nombre del Espíritu Santo; María de la Paz, en religión María de la Cruz; Ursula de los Santos y María de Avila, que se llamó María de San José.
2. Da. Inés y Da. Ana de Tapia, primas de la Santa, que luego se llamarían Inés de Jesús y Ana de la Encarnación.

bles escrúpulos. ¿No había desobedecido? ¿No había ofendido a Dios con su proceder? ¿Qué diría su Provincial? ¿Podía haber sustraído legítimamente este monasterio a su jurisdicción, colocándolo bajo la del obispo, sin faltar a la deferencia y a la sumisión que le debía? Y además, ¿qué había hecho? ¿Qué iba a ser de las cuatro infelices que acababa de encerrar en una casa sin rentas ni recursos? Ella acudiría a visitarlas porque así se lo permitía la regla de la Encarnación, ¿pero podría participar en sus austeridades dado el delicado estado de su salud? ¿No había puesto su alma en peligro? El demonio volvía una y otra vez a atormentar su espíritu con estos y parecidos pensamientos. La infeliz madre se veía en las más espantosas tinieblas, como si Dios hubiese permitido ahogar su gozo dejándola en la más terrible desolación.

No pudiendo resistir más, Teresa se echó en brazos de su divino Señor. "De que me vi así —escribe la Santa— fuime a ver al Santísimo Sacramento, aunque encomendarme a El no podía. Paréceme estaba con una congoja como quien está en agonía de muerte. Mas no dejó el Señor padecer mucho a su pobre sierva; porque nunca en las tribulaciones me dejó de socorrer; y así fue en ésta, que me dio un poco de luz para ver que era el demonio y para que pudiese entender la verdad y que todo era quererme espantar con mentiras".

Pero aparte del demonio había otros adversarios. En el convento de la Encarnación, que era el suyo, se había creído que quedaba abandonado el proyecto, mas al tenerse noticia de la fundación del convento de Carmelitas descalzas, que parecían querer dar en la cara a las "calzadas", se produjo una explosión de indignación. Toda la ciudad quedó revolucionada y no se hablaba más que de encarcelar a Teresa por su intolerable atrevimiento. Para empezar, su priora le ordenó que se reintegrase al convento sin demora. Teresa obedeció, no sin antes dejar encomendada la tutela del nuevo monasterio a San José y al buen obispo, cuya visita había recibido. Por su parte, sentía una profunda paz.

Las cosas empezaron a ir de la forma más favorable que podía imaginarse. Una vez en presencia de su superiora, le expuso tranquilamente los motivos que la habían inducido a proceder como lo había hecho y logró traerla a razón. Se le obsequió con una buena comida, que falta tenía de ella. Al día siguiente, el Provincial quiso que Teresa le explicase todo lo sucedido. La Santa se mostró extremadamente humilde y el superior quedó desarmado. Angel Salazar había empezado reprendiéndola severamente, mas luego de aclararlo todo Teresa y pedir toda clase de perdones, se reconoció que no había cometido ninguna falta por la que mereciera ser castigada.

Tan satisfecho quedó, al fin, el Provincial, que prometió a la Santa que, en sosegándose la ciudad, le daría licencia para que se fuese al nuevo monasterio.

Ciertamente que los abulenses estaban alborotados. Nos lo hacen ver estas palabras de Teresa:

"Desde a dos o tres días, juntáronse algunos de los regidores y corregidor y del cabildo, y todos juntos dijeron que en ninguna manera se había de consentir, que venía conocido daño a la república, y que habían de quitar el Santísimo Sacramento, y que en ninguna manera sufrirían pasase adelante. Enviaron al Consejo Real con su información; vino provisión para que se diese relación de cómo se había hecho. Héla aquí comenzando un gran pleito, porque de la ciudad fueron a la Corte, y hubieron de ir de parte del monasterio, y ni había dineros ni yo sabía qué hacer. Proveyólo el Señor, que nunca mi padre provincial me mandó dejase de entender en ello; porque es tan amigo de toda virtud que, aunque no ayudaba, no quería ser contra ello. No me dio licencia hasta ver en lo que paraba para venir acá".

El 29 de agosto, se estudió el asunto en una reunión extraordinaria a la que asistieron numerosos teólogos y canonistas. Entre estos últimos, el más decidido defensor de Teresa fue el célebre profesor Domingo Báñez, religioso dominico. El punto más discutido fue el de la pobreza absoluta. No se concebía un monasterio de monjas sin rentas, puesto que no podría sostenerse si no era a costa de la ciudad y con merma de las cantidades, ya exiguas, que se destinaban para los pobres. Acosada por todas partes, Teresa hubo de ceder, pero la oración le vino en ayuda. En su oración le hizo saber el Señor que no consintiese que el monasterio tuviese rentas, pues si se empezaba con ellas, ya no consentirían después que se prescindiera de las mismas. La misma noche se le apareció San Pedro de Alcántara, que acababa de morir, y le dijo que de ninguna manera tomase renta, sino que fuese adelante en el pleito. Por lo mismo, la Santa rehusó hacer concesión alguna en lo que le exigían. Como la mayoría de los pleitos, éste duró bastante tiempo y al fin quedó sin resolución precisa. En el intervalo, una decisión de Roma autorizó a la madre "abadesa" y a las religiosas de

San José a no poseer nada, es decir, a vivir exclusivamente de su trabajo y de limosnas.

Llegó un momento en que todo se apaciguó. El provincial mantuvo su palabra y permitió a Teresa que se enclaustrara con sus monjitas y llegó hasta autorizar a cuatro carmelitas de la Encarnación para que fuesen al convento de San José con el fin de iniciar a las otras en el rezo del santo oficio y enseñarles las costumbres de la Orden.

Teresa en San José

La agitación había durado bastantes meses y Teresa no pudo ingresar en San José hasta marzo de 1563. A pesar de esto, continuó siendo religiosa del monasterio de la Encarnación, figurando como *prestada* al de San José. Además, pronto empezaría para ella la época de las fundaciones, viéndose obligada a estar casi permanentemente de viaje por los caminos de España. Pero mientras tanto, tuvo un compás de espera que le permitió vivir con relativo sosiego. De marzo de 1563 hasta el verano de 1567, organizó su humilde convento que había fundado. Mas pronto resultó los demás y convertirse en ejemplo para la reforma de los carmelos existentes.

Teresa no fue al principio la superiora del convento que había fundado. Mas pronto resultó evidente que sólo ella podía resolver los problemas que se le planteaban a la nueva comunidad, y se le nombró priora, tomando con tal motivo oficialmente el nombre de *Teresa de Jesús*, que es con el que figura en la historia universal. Vistió, asimismo, el nuevo hábito, bastante más basto y ordinario que el del monasterio de la Encar-

105

nación, y, como se diría muy pronto, se descalzó, es decir, que calzó sandalias llevando los pies desnudos. Poco a poco fue consolidando la situación canónica. El Nuncio de Su Santidad relevó a Teresa de la obligación de residir en su convento de origen y le autorizó a vivir en el de S. José sin limitación de tiempo. El 17 de julio de 1565, el Papa Pío IV confirmó la nueva fundación.

Teresa recorrió diversas etapas, todas coronadas por el éxito. Para sí y para sus religiosas obtuvo lo que no había conseguido en la Encarnación, es decir, *la estricta clausura*, la prohibición de salir del monasterio sin graves motivos y recibir visitas fuera de límites muy precisos. Semejante clausura no es deseable, sin embargo, por sí misma, sino en tanto que contribuye a guardar la santa soledad, o sea, el coloquio interior con Dios, o, en otros términos, como condición para la *vida de oración*, necesaria para la perfección.

La clausura no ha de oponerse, de todos modos, a las relaciones indispensables con el exterior. Teresa estaba al frente de una comunidad y se ocupaba de ella con cuidado maternal. Tenía que tratar de continuo con las autoridades eclesiásticas y civiles, con teólogos y canonistas, con confesores y bienhechores, y cuanto más se multiplicaban sus fundaciones, tanto más se veía obligada a viajar y a relacionarse con multitud de personas. El gran asombro de su existencia sería, efectivamente, su continua e intensa vida de oración juntamente con el despacho de los asuntos más difíciles y complicados. En los intervalos de sus discusiones o conversaciones en el locutorio de sus cartas a toda clase de personajes, se sometía a la vida de comunidad como la última de sus religiosas. Cuando le correspondía, se encargaba de la cocina, fregaba los platos, barría, hilaba la lana o bordaba con singular maestría, como luego sucedería con Rosa de Lima. Casi siempre presente en los recreos reglamentarios, era una excelente animadora con su amena conversación, produciendo en todas las monjas una dulce, profunda e inocente alegría "por exceso de riqueza interior", según afirma uno de sus biógrafos. La sana alegría quedaría como preciosa herencia en todos los conventos de su orden hasta nuestros días.

Rasgos característicos de la vida carmelita

Para el historiador, Teresa es, ante todo, la reformadora del Carmelo. A decir verdad, ella sólo quiso conseguir la reforma para constituir casas de oración. Para ello se precisaban *Constituciones*, costumbres, tradiciones, una doctrina. Dios proveería a todo ello por medio de la fund-dora-reformadora. De esta forma sería *autora* de libros, sin haber cursado estudios, sin tener las menores pretensiones literarias. Sus obras ocuparían lugar preeminente a fuerza de sencillez, de sinceridⴰd, de claridad, de profundidad no rebuscada. de ciencia espiritual ignorándose a sí misma. Tal vez no presente la historia otro ejemplo de autor menos autor, es decir, con menos pretensiones, menos cuidado de la forma y menos atención de sí mismo. Su estilo literario es el de no poseer ninguno, o sea, escribir a vuelo de pluma, tal como hablaba, sin afectación ni preparativos. con repeticiones y disgresiones, pero también con viveza, con calor. con vigor y convicción. Pocas veces habrá tenido tan fiel cumplimiento el dicho de que el estilo es el mismo escritor. Escribiera lo que escribiese, lo hacía con el corazón, con fe y con todo su ser. Hay autobiografía no sólo en el libro de la *Vida*, que escribió porque así se lo ordenaron, sino en todas sus obras. Tal vez sea en su obra cumbre *"Moradas del Castillo Interior"* donde más perfectamente se nos muestra a sí misma.

Si la palabra existencialismo tiene algún sentido, es, ciertamente, en Teresa de Jesús. Nos aporta sus experiencias, los impulsos de su alma, sus pensamientos y certezas, sus contactos con el Real que es Dios, y es cuanto debemos buscar en cada línea.

Las Constituciones

Para redactar las *Constituciones*, Teresa tuvo a la vista las de su convento de origen. Pero aportó las modificaciones que su Jesús le sugería en la oración. Por otra parte, se atendría rigurosamente en todo a no sacar nada de sí y seguir lo que le dictara el Señor, por no tener más puntos de mira que su honor y su amor. El parecido con el divino modelo fue tanto más acabado cuanto más unida estuvo a El. El trabajo fue sin descanso, pero sencillo y con el pensamiento constantemente puesto en el Señor. La principal novedad de las *Constituciones* del Carmelo renovado son los ejercicios espirituales, tal como los entendían desde hacía medio siglo los autores espirituales y tal como los venían introduciendo las órdenes nuevas, en especial, los jesuitas. En las carmelitas descalzas habría, pues, *dos oraciones* de una hora cada una, y también *dos exámenes de conciencia* y una hora de *lectura espiritual*, diariamente. La priora de cada convento tiene el encargo de procurar a su comunidad buenos libros, o sea, los que tratan de la oración y de sus caminos, como eran, por ejemplo, en la época de nuestra Santa, las obras de fray Luis de Granada y de Pedro de Alcántara, a las que pronto se unirían, para pasar a primer término, las de Juan de la Cruz y los de la misma Santa Madre. Teresa había tenido en toda su vida gran predilección por la ciencia y quería que sus religiosas fuesen instruídas, a condición de permanecer muy humildes, estar sometidas en todo a la Iglesia y mostrarse muy dóciles para con los sabios autorizados y reconocidos como maestros.

Lo esencial para ella era la expansión de los espíritus y de ahí su preocupación por la soledad, llevada hasta la erección de *ermitas* dentro del recinto de cada convento, así como completa libertad para elegir los confesores y predicadores y comulgar con frecuencia.

Fuera de las Constituciones propiamente dichas, al igual que en las demás órdenes, también existen en el Carmelo costumbres o tradiciones, establecidas en virtud de los mismos ejemplos dados por la "Madre" y las religiosas que siguieron sus huellas desde un principio. Junto a los ejemplos, están también las charlas maternales y las exhortaciones diarias, que denominaríamos conferencias espirituales de la Santa. Todo ello lo condensó Teresa, siguiendo el consejo del dominico Báñez, en un libro lleno de sentido y vigor titulado: *Camino de perfección*. Lo que principalmente reclama en él son grandes deseos de santidad, el apego a Dios, el único digno de nuestro amor, así como la clarividencia en sí mismos, o sea, la conciencia de los subterfugios y de los mil ardides de la naturaleza para engañarse ella misma. Este ánimo y esta sinceridad han de manifestarse en el amor a la penitencia y a la pobreza, dentro de la total abnegación y la obediencia a la regla, a las autoridades y a la Iglesia de Jesucristo. Mas todo ello ha de desarrollarse con la oración, medio y fin, camino real que nos lleva al divino Maestro.

Aunque colmada de dones sobrenaturales, de visiones, de locuciones, de manifestaciones extraordinarias, hasta llegar a la transverberación de su corazón por un ángel, Teresa no hizo ningún caso de todo ello en las advertencias formuladas a sus religiosas.

La Santa se adelantó a las objeciones que pudieran hacer sus hijas alegando que, después de haber hecho cuanto les recomendara, no habían experimentado ninguna de las maravillas de la gracia, es decir, locuciones, apariciones y visiones. Tanto mejor, diría un San Juan de la Cruz. Puesto que lo que más une a Dios es la noche total, la de los sentidos y del espíritu, el caminar exclusivamente por el camino de la fe. Teresa, más sencillamente y más próxima a tales hechos, les diría: "Tal vez no tengáis nada de lo que pedís y tal vez no lo tengáis jamás, porque Dios es muy libre de concederlo o no. Todo os lo dará de golpe, si esa es su voluntad, cuando le plazca. Pero estad seguras de que os reserva lo mejor para allá arriba que es, después de todo, lo único que importa".

Sus hijas le creían. El halo de santidad y de lo sobrenatural que circundaba a su madre servía poderosamente, según vamos a verlo en el capítulo siguiente, a la reforma del Carmelo, pero ello no formaba parte de la reforma propiamente dicha ni de las maneras habituales de Dios en su acción en el fondo de las almas a las que ama.

VII. LAS FUNDACIONES

El Padre Rubeo

En abril de 1567 llegó a Avila el Vicario general de la orden del Carmelo. Se llamaba Juan Bautista Rossi, pero en España castellanizaron a su modo dicho nombre y lo llamaron el Padre Rubeo. Era un hombre de gran autoridad, de sólida teología, de elevada virtud, y el Papa no sólo le había encomendado la misión de gobernar la orden carmelita sino la de reformarla de acuerdo con lo dispuesto por el Concilio de Trento, terminado en 1563.

Sus primeras visitas a los conventos españoles le habían dado fama de severo y algunos veían con terror que fuera a visitarlos. En Avila tuvo un excelente recibimiento. Los Carmelitas abulenses se sometieron a cuanto exigía y eligieron en su presencia un nuevo provincial, recayendo la designación en el excelente P. González. Cuando le informaron de la fundación hecha por Teresa de Jesús se mostró interesado por conocerla.

Teresa era, como bien lo sabemos, objeto de contradicción, y mientras unos la alababan y tenían por santa, otros la criticaban acerbamente y la tenían por poco menos que maníaca. También Nuestro Señor fue objeto de contradicción. El P. Rubeo quiso percatarse de todo personalmente y, provisto de la oportuna licencia del obispo, superior canónico del convento, se dirigió a San José

111

para visitarla. Teresa sintió cierta inquietud viéndolo acercarse.

"Temía —nos dice ella— dos cosas: una que estuviese descontento de mí, por no saber lo que realmente había sucedido; otra, que me hiciese ingresar de nuevo en el monasterio de la Encarnación en el que seguía la regla mitigada".

Por fortuna, tales temores carecían de fundamento. El general oyó la referencia de Teresa. Fue, como todas las suyas, sencilla, recta, humilde y natural, mereciendo la aprobación del superior. Un solo punto no le pareció bien, que una fundación así se escapase a su autoridad, perdiendo de esta forma un verdadero tesoro de la orden.

"¿Cómo puede ser, preguntó el Padre, que estéis sujetas al obispo siendo la priora religiosa del convento de la Encarnación?"

Por toda respuesta, Teresa exhibió el breve pontificio, que había sido la base de su fundación. Pero como Rubeo era un canonista eminente, al mismo tiempo que un buen teólogo, rechazó el valor del breve por la sencilla razón de que no se le había comunicado y terminó diciendo con firmeza: "¡Usted es mía!".

Después de esto no sólo autorizó a la Santa para que permaneciese en San José, sino, lo que es más interesante, le dio licencia para fundar tantas casas reformadas "como pelos tenía en la cabeza". Esto era mucho, pero el Santo varón no sabía expresar mejor el entusiasmo que le produjo la fundación del monasterio de San José. Efectivamente, por una comunicación escrita el 27 de abril de 1567, dio a Teresa todos los poderes necesarios para crear nuevos conventos por toda Castilla, con la única condición de que estuviesen

112

sometidos a su autoridad directamente, prescindiendo de todo prior o provincial.

Pero Teresa le hizo observar, y con razón, que para dirigir los conventos reformados de monjas, se necesitaban religiosos de la misma regla. Esto era plantear la cuestión de la reforma de los carmelitas. La cuestión se debatió apasionadamente en presencia del general, pero no se pudo llegar a ninguna conclusión. Sin embargo Teresa volvió a la carga algo más tarde y Rubeo envió una segunda comunicación fechada el 10 de agosto de 1567, dirigida al P. Mariano, definidor de la Orden. En ella se decía que podía procederse a la fundación de dos conventos reformados de carmelitas, que las dos nuevas casas quedarían agregadas a la Orden por medio del P. Provincial, P. González y el prior de Avila, Angel Salazar, conjuntamente. Les correspondería a ambos designar el prior y los miembros de cada convento, debiendo figurar las nuevas fundaciones como partes de la provincia de Castilla.

Pero en la misiva se expresaba un temor que no dejaría de convertirse en realidad:

"No entendemos con esto —se decía en la misma— abrir la puerta a discordias infernales, sino acrecentar la perfección de la vida regular carmelita".

Fundaciones

Quedaba abierto el camino. Teresa poseía oficialmente dentro de la Orden el título y la función de reformadora de los conventos carmelitas.

Lo que había pasado en Avila podía repetirse en cualquier lugar. Y, como ya lo hemos insinuado, los fenómenos extraordinarios con los que Teresa había sido favorecida en sus oraciones, las palpitantes discusiones teológicas en torno de su caso, las visiones, locuciones y apariciones con las que se decía que la favorecía el Señor, todo ello, unido al efecto de su palabra, a la sabiduría de su dirección, al encanto que emanaba de toda su persona, había preparado maravillosamente los espíritus para la misión que tenía que realizar.

Podríamos atrevernos a decir que Dios se había encargado de hacerle una publicidad gratuita y de fulminante eficacia.

Empleamos el término gratuita pensando en el lenguaje teológico, según el cual, las visiones, apariciones, locuciones, profecías, etc., son dones gratuitos o *carismas*, teniendo precisamente por finalidad llamar la atención sobre una doctrina o institución, revistiéndolas, por así decirlo, con la autoridad del mismo Dios.

Ya hemos dicho que la comunicación dirigida a Teresa, facultándola para fundar conventos de mujeres, llevaba fecha 27 de abril, y la relativa a los conventos de hombres, la del 10 de agosto de 1567. El 13 de agosto del mismo año se puso nuestra Santa en camino para recorrer Castilla en todas direcciones. En los quince años que aún viviría, fundó no menos de quince conventos en ambas Castillas y Andalucías: los de Medina del Campo, Malagón, Valladolid, Toledo, Pastrana, Salamanca, Alba de Tormes, Segovia, Beas, Sevilla, Caravaca, Villanueva de la Jara, Palencia, Soria y Burgos.

Además iba a tener la dicha de ver crear bajo su alta dirección, o debido. al menos, a su impulso, tres casas de Carmelitas descalzos. Entre los religiosos reformados, tendría junto a sí al extraordinario místico a quien graciosamente llamaría "su Senequita", San Juan de la Cruz.

El ruido hecho en torno de ella y de su obra fue lo suficiente para llamar la atención. Se le ofrecían fundaciones prometiéndole toda clase de apoyos y facilidades. Ella sometía a la consideración del Señor cuanto se le ofrecía. Jamás hizo nada sin consultar previamente a su Divino Maestro. Para ella no había más voluntad con la que contar. Una vez aprobado el proyecto o impulsada cuando menos interiormente por su Jesús se ponía en camino. Ninguna fatiga le haría retroceder. A despecho de su salud, siempre bastante quebrantada por diversos males y enfermedades, recorrería los trayectos más penosos utilizando toda clase de medios existentes en la época: a caballo, en carroza, en toscos carros y carretas, por pistas muchas veces intransitables. Traqueteada, sacudida, fastidiada de mil maneras, pasaría por todos los accidentes imaginables, puertos de montaña, cursos de ríos a veces desbordados, senderos y vericuetos por los que llegaría a perderse...

Evidentemente, la santa fundadora no estaba sola. Siempre llevaba consigo tres o cuatro monjas que serían como el corazón de cada nueva fundación. También tenía a su lado dos o tres amigos, muy enamorados de su obra, sacerdotes por lo general, llenos de respeto y de admiración hacia su persona. El más conocido de todos ellos fue Julián de Avila, un sacerdote que nos legó atractivos relatos sobre los viajes de Teresa de Jesús.

Al llegar a una ciudad en donde se le esperaba, se instalaba como mejor podía con sus hijas alquilando o comprando alguna casa. Con frecuencia, el primer edificio encontrado no reunía las condiciones necesarias y había que cambiar.

No siempre le eran favorables las autoridades religiosas y civiles, ocurriendo lo mismo que en Avila. En la mayoría de los casos se objetaba contra la nueva fundación que las monjas iban a consumir gran parte de lo destinado al sostenimiento de los pobres, porque al tener que vivir de limosna, forzosamente disminuirían las asignaciones para gentes necesitadas. También se argumentaba en ocasiones que ya existían en el lugar demasiadas casas de monjas, por lo que ninguna falta hacía fundar una más. Teresa no se desanimaba. A todo respondía y recurría a poner en movimiento toda clase de protecciones.

Como por encanto, salían bienhechores por doquier al paso de nuestra Santa. Los obispos o sus representantes se dejaban convencer y las autoridades civiles le daban su consentimiento. En casos necesarios, Teresa no tenía inconveniente en recurrir a las más altas autoridades de la nación, incluso al rey, de ser preciso. Era tan grande su prestigio, tan relevante su fama de santidad y sabiduría, que los obstáculos y las dificultades desaparecían por todas partes.

Todo esto lo dejó consignado Teresa en uno de sus libros, denominado de las *Fundaciones*, en cuya obra puede hallar el lector los relatos más pintorescos.

"He aquí —escribía— una pobre hermana descalza, sin nadie que le ayude, fuera del Señor, con muchos encargos y buenos deseos, pero sin medios para llevarlos a la práctica. Nunca le faltaron ánimo y esperanza, confiando sólo en el Señor, como único proveedor de todo. Con su ayuda todo paréceme fácil y, contando con su venia, a cualquier cosa me atrevo".

La Santa veía el sello de Dios en toda su obra. Tan débil, miserable, impotente se sentía dentro de su humildad, que todos sus triunfos los atribuía únicamente a Dios.

Vamos a analizar, sin embargo, aunque ligeramente, las causas de tantas victorias.

Causas de los éxitos

En las primeras causas de sus éxitos, no debemos olvidar el halo sobrenatural que le circundaba por expresa voluntad de Dios. Los carismas con que tan extraordinariamente se vio favorecida no eran tanto para ella como para los demás. Basándose en las epístolas de S. Pablo, la teología de los carismas pone claramente de relieve que los dones extraordinarios no hacen la santidad, sino que son solamente una consecuencia, muchas veces necesaria. Teresa habría podido ser tan Santa como lo fue sin tales dones, permaneciendo oculta en su pequeño monasterio de S. José de Avila, donde le habría sido dado elevarse a los más altos grados de oración y de perfección sin visiones, apariciones y locuciones interiores. Dios se sirvió de todo ello para conferirle una autoridad y poder conquistadores. Todo el mundo, casi sin excepción, quedaba subyugado por su ascendiente. Cuando estaba en casa de su gran amiga Luisa de la Cerda, las criadas de la nobiliaria mansión miraban por el ojo de la cerradura para verla orar. Tal vez esperasen ver ángeles a su lado y en cambio sólo tenían ante ellas una humilde religiosa abismada en la oración.

Una segunda causa de sus éxitos, y de las principales, es que por entonces soplaba en España un indudable aire de santidad. En el siglo XVI era España la primera nación del mundo en muchos aspectos, entre e.los el de la santidad. Un historiador moderno, M. Bataillon ha podido afirmar que desde principios de dicho siglo, el de Oro en la historia de la nación hispana, los españoles se lanzaban hacia la oración, sintiendo en general un impetuoso ardor para las cosas de Dios. ¿No hemos notado que en la familia de Teresa todos estaban ávidos de santas lecturas? Si hubo excesos en este aspecto por parte de los *Alumbrados* era por creerse, basándose en sus íntimas experiencias, desligados de la autoridad del dogma, del culto externo de la misma Iglesia, revelando esos excesos la potencia de la corriente que arrastraba a los espíritus.

Dios acudió en ayuda de todas estas fervorosas almas enviando a Teresa, después de haberla iluminado por todos los medios que hemos procurado resumir en este libro de la mejor manera posible: revelaciones sobrenaturales, discusiones teológicas, decisiones de superiores y aprobaciones de Roma.

Cuando la Santa llegaba a una ciudad, le era muy fácil encontrar vocaciones religiosas.

Al presentarse en Medina del Campo, por ejemplo, una joven muy piadosa que no había podido ingresar en San José, por falta de capacidad del local, le suplicó que la admitiese en el nuevo monasterio.

"El Señor —escribía la Santa— llama a algunas mujeres a vestir el hábito monacal y son tan grandes las mercedes que les concedió que estoy asombrada".

Aún sucedería algo mejor. En ciertas ciudades, aunque más adelante, se establecerían Carmelos por la adhesión de grupos enteros de mujeres reunidas para entregarse a la perfección y deseosas de quedar integradas en alguna gran orden monástica. Este fue el caso concreto de Beas (prov. de Huelva), Caravaca (Murcia) y Villanueva de la Jara (Cuenca).

Casi nos atreveríamos a decir que Teresa venía a satisfacer una especie de necesidad nacional de su época. Por su medio, la verdadera mística, la ordenada y armónica, en regla con Dios y sus representantes, se erguía en España frente a la falsa y la hacía retroceder de manera decisiva. De España pasó dicho movimiento a Francia a principios del siglo siguiente y en ella se produjeron también verdaderas maravillas espirituales.

A estas dos primeras grandes causas de los éxitos teresianos se unieron otras que no son de despreciar. Hemos hablado de las discusiones teológicas de las que nuestra Santa fue ocasión y casi víctima. Pero dieron motivo, como hemos hecho notar, para nuevas luces en sus confesores y directores. Gracias a ello, participaron de sus llamaradas y añadieron a su saber nuevos aspectos de la acción divina sobre las almas. Lo que más testimoniaba su curiosidad en tal sentido eran las órdenes formales que le deban. La Santa escribió su Vida, como lo hemos dicho, únicamente para obedecerles. Lo mismo sucedió con sus demás escritos, sobre todo con el célebre *Castillo interior*, cuyo título es de por sí una muestra de gran ingenio.

Treinta y ocho teólogos, más o menos, se enzarzaron en los debates provocados por su especial vocación. Los más interesados fueron los dominicos y los jesuitas, entre los cuales todavía no había, o no se habían desarrollado las discrepancias que a finales del siglo se produjeron entre ellos, en relación con la gracia. Teresa recibió alientos de un hombre como Báñez, el tomista más ilustre de su siglo. Pero Baltasar Alvarez, jesuita, después de comprensibles vacilaciones, no se mostró menos elogioso de la Santa Madre, ni estuvo menos resuelto a apoyarla, sostenerla y comprometer su autoridad de sabio en su favor. En Medina del Campo, en Salamanca, en Toledo, se comprobó lo decisivo de su intervención. Aunque Teresa encontró en su misma orden grandes oposiciones, llegando hasta abierta hostilidad, no careció en un principio de sostén y aliento por parte de sus superiores, sobre todo del Padre Rubeo.

Las mayores dificultades se le presentarían con motivo de los conventos de carmelitas descalzos. La presente historia estaría demasiado incompleta si no nos hiciésemos eco de las mismas, aunque Teresa sólo estuvo mezclada en ellas de manera indirecta.

Los monasterios reformados de hombres

Teresa había previsto que la reforma de los monasterios de monjas carmelitas requería en breve la de los conventos de hombres, a fin de que los carmelos femeninos no se viesen privados de la dirección de Padres que siguiesen la misma regla.

Después de recibir la comunicación de que hemos hecho mención del vicario general, trató la cuestión con el prior de los carmelitas de Medina del Campo, Padre Antonio de Heredia. Lleno de entusiasmo había declarado el Padre que deseaba ser el primero en abrazar la reforma. Y de hecho, disputa históricamente a Juan de la Cruz el honor de haber sido el primer descalzo.

¿Quién era entonces Juan de la Cruz, llamado a ocupar puesto tan preeminente entre los místicos de todos los tiempos?

Nacido en 1542, tenía en 1567 veinticinco años. Al entrar en religión había tomado el nombre de Juan de Sto. Tomás, del que pronto prescindiría. Había hecho brillantes estudios en la famosa universidad de Salamanca y acababa de ser ordenado sacerdote. Muy deseoso de vida interior hubo de reconocer, muy a pesar suyo, que no hallaba en su Orden lo que anhelaba y pensaba hacerse cartujo. Mas cuando oyó hablar de la reforma teresiana, aplazó su decisión tan sólo por un año. Tras su primera entrevista con Teresa, la Madre quedó cautivada por su virtud y su celo. El, por su parte, regresó a Salamanca para terminar allí sus estudios.

Habiendo ido a Medina del Campo unos meses después, Teresa lo volvió a ver, y pensó que era el más indicado para iniciar la reforma de los religiosos carmelitas.

Sin vacilar lo hizo despojarse del hábito negro de los carmelitas calzados para ponerse el burdo sayal de los descalzos. Para la historia fue, pues, el primer carmelita reformado.

También estuvo decidido Antonio de Heredia desde un principio. Al igual que Juan de la Cruz, era de pequeña estatura y Teresa, con su gracejo habitual, decía que ya tenía "un fraile y medio" para la reforma de los monasterios de hombres. Pero eran de esperar inmediatas vocaciones. Con la resolución que le caracterizaba, Teresa decidió no esperar más. Un gentil hombre de Avila había ofrecido un chamizo entre Avila y Salamanca, en el lugar denominado Duruelo. Era muy poca cosa, pero bastaba para empezar. La Santa encargó a Juan de la Cruz que sin tardanza se iniciara en las costumbres de la reforma en el convento de Valladolid antes de que en el mismo se impusiera la clausura.

Allí estaba Teresa, Juan de la Cruz permaneció cuatro meses en esta especie de noviciado. Era el confesor de la Santa Madre y de las demás religiosas. Por su parte, sin decir nada, observaba y juzgaba. Teresa escribiría más adelante a Salcedo:

"Hemos tenido ocasión de ponerlo a prueba en nuestras relaciones. Yo misma he sido una ocasión y he llegado a enfadarme con él... Parece que el Señor lo tiene en su mano —concluye— y no hemos visto en él ni una sola imperfección".

Bien puede asegurarse que fue "canonizado" por una Santa que sabía mucho de santidad. Se alegró mucho viéndole partir hacia finales de septiembre de 1568 para Duruelo, donde se encargó de organizar el futuro monasterio. Allí trabajó sin descanso y con frecuencia de peón. Pronto estuvo todo dispuesto aunque dentro de la mayor pobreza. El primer domingo de Adviento se le unieron el P. Antonio de Heredia y otro fraile carmelita. Así quedó fundado el primer convento de carmelitas descalzos.

La vida fue en él desde un principio de extraordinario fervor. Juan de la Cruz había dejado huellas de sí por todas partes. ¿Cuáles eran? Teresa, que acertó a pasar por allí meses después, nos lo dice:

"Quedé harto sorprendida —escribió ella— viendo el espíritu que el Señor había puesto allí. Y no solamente yo, porque dos mercaderes de Medina del Campo que me acompañaban no dejaban de llorar por haber visto muchas cruces y calaveras.

Todo marchaba de la mejor manera posible por aquella parte. Pero pronto empezarían los jaleos. La oposición se presentó principalmente por parte de los carmelitas mitigados, que no veían con buen ojo aquellas innovaciones. Parecía que con la reforma, se les echaba en cara su relajamiento. Y desde el punto de vista humano preciso es reconocer que no iban desencaminados al pensar así.

Ni qué decir tiene que no pensamos entrar aquí en detalles de semejantes querellas. Fue un drama de cien actos todos diferentes. Las hostilidades cesaban un día para pasar en seguida a otro. A Juan de la Cruz lo sacarían más tarde de su convento para llevarlo poco menos que a rastras y a empellones a través de las montañas de Toledo, donde lo encerrarían en oscuro calabozo meses enteros sometiéndolo a penitencias tan duras como injustas. Es emocionante pensar que fue precisamente en este tiempo de pruebas, casi increíbles e indecibles, cuando compuso el Santo las estrofas más bellas y profundas de sus inmortales Cánticos espirituales.

Mas volvamos a Teresa. También vamos a verla pasar peripecias no menos asombrosas.

Teresa, priora de la Encarnación

Recordamos que inicialmente, Teresa era monja del convento de la Encarnación. De él había salido para ser fundadora, después de recibir para ello la debida autorización sin límite de tiempo. No deja de extrañar, que siendo priora del convento reformado de Medina del Campo, obtuviese el provincial de los mitigados del visitador apostólico de la Orden, que se le nombrara de oficio priora del monasterio de la Encarnación. Nada más desagradable ni delicado hubiera podido pedírsele. Siendo reformadora y fundadora, ¿cómo volver a su antiguo convento mitigado en calidad de priora del mismo? Indudablemente la acusarían las antiguas compañeras de hacer innovaciones que constituían evidente injuria a su manera de entender y vivir la vida religiosa.

No obstante, Teresa obedeció sin decir palabra. Bien puede afirmarse que semejante actitud supuso en ella un acto realmente heroico. El 6 de octubre de 1571, se presentó en las puertas del convento donde había pasado su juventud.

El recibimiento que se le dispensó habría desalentado tremendamente a otra que no hubiese sido ella. Toda Avila formaba causa común con las religiosas de la Encarnación. La mayor parte de éstas se levantó en abierta rebelión contra la superiora que se les imponía. Se figuraban que Teresa, con las ideas que se le reconocían, pretendiera imponerles la reforma, trastornaría las reglas que habían profesado y les haría la vida imposible.

Teresa, con su valor característico, supo hacer frente a todas las amenazas y oposiciones. No hay personas tan prácticas como las místicas. Habló con su dulzura, calma, bondad y elocuencia habituales. Les dijo que como quiera que iba a convivir con almas buenas, estaba segura que llegarían a compenetrarse en seguida. Afirmó que sólo deseaba para ellas que consiguiesen lo que se habían propuesto al entrar en religión, es decir, el contacto con Dios, la huída del mundo y de sus engañosos convencionalismos, una vida con sinceridad de corazón y mucha fe. Por encima de todo aportó a sus subordinadas abundante y sana alimentación espiritual por medio de sus ejemplos y oportunas exhortaciones. Su lealtad, su bondad enteramente maternal, pronto le ganaron el afecto de sus gobernadas, lográndose grandes progresos en la regularidad y en el fervor.

En el otoño de 1572, una vez conseguida por Teresa la victoria más completa, el provincial ideó aplicar el método empleado con tan buen éxito en el convento de la Encarnación al de carmelitas mitigados de Avila, ordenando que se nombrasen superiores escogidos entre los frailes reformados. Por lo que parece, el provincial deseaba una *amalgama* de reformados y mitigados que pusiese fin a las divisiones en la orden carmelita. Pero el futuro se encargaría de evidenciar su error. Teresa se aprovechó de la oportunidad que se le brindaba y obtuvo que se nombrara confesor de la Encarnación a su querido *Senequita*, Juan de la Cruz. Llegó éste y cumplió las funciones de confesor durante seis años con el mayor provecho espiritual de todas sus penitentes. Los éxitos fueron, precisamente, los que colmaron el despecho de los adversarios de la reforma, quienes provocaron el apresamiento de que hemos hecho mención anteriormente.

En cuanto a Teresa, ésta acabó felizmente los tres años de su priorato, siendo nombrada seguidamente priora de su querido convento de San José. Algo más tarde fue a Valladolid y al fin tuvo que emprender largos viajes, entre otros, a Beas y de allí a Sevilla, en el Sur de la Península.

La Santa estaba envejecida y muy cansada, según su misma confesión. Tenía, efectivamente, cerca de sesenta años, edad que para ella, que por tantas pruebas, achaques y enfermedades de toda clase había pasado, era avanzada.

Antes de terminar el presente capítulo queremos dar una ligera idea de un hombre que desempeñó importante papel en los últimos años de nuestra Santa, un hombre eminente por su virtud y saber, de gran talento y clarísima inteligencia, que también fue hombre de "contradicción". Nos referimos al Padre Jerónimo Gracián.

El Padre Gracián

Pertenecía a una familia distinguida y bien considerada en la Corte. Su padre, que ostentaba el título de secretario del Rey, era muy letrado, humanista y cristiano. Jerónimo Gracián había cursado con brillantez los estudios de los jesuitas de Madrid, prosiguiéndolos luego en la célebre universidad de Alcalá de Henares, rival de la de Salamanca. Era Doctor en teología y derecho. Ordenado sacerdote. decidió hacerse jesuita, mas luego optó por ingresar en la Orden del Carmen, pero en los descalzos, lo que fue para éstos una adquisición de primerísimo orden. Muy joven para lo que entonces se estilaba, es decir, cuando sólo contaba veintiocho años, el Vicario apostólico delegó en él todos sus poderes, y no sólo para con los reformados, sino también para los carmemelitas calzados. Esto originó una verdadera guerra de jurisdicciones, con apelaciones al Rey por una parte y por otra al Papa, complicándose las cosas de tal forma, que más de una vez estuvo por desaparecer la reforma teresiana. Gracián era hombre lleno de celo, cortés y bueno, sabía comprender a Teresa y ésta quedó maravillada ante las ayudas que Dios le enviaba por su mediación. Pero pronto se produjo tal encadenamiento de objeciones, protestas y críticas, unido todo ello a las relaciones con Roma, o sea, con el general de la Orden y hasta con el mismo Papa, que no se sabía por dónde echar. En medio de esta efervescencia, Teresa predicaba la paz y la buena inteligencia mutua, pero demasiadas veces predicaba en desierto. Jamás escribió cartas tan elocuentes y hábiles, a pesar de brillar en todas las que salieron de su pluma una vivacidad, gentileza y naturalidad que no tienen rival. Cabe juzgar esas cualidades por los retazos que a continuación transcribimos de la carta dirigida el 18 de junio de 1575 al Padre Rubeo, general de la Orden:

"La gracia del Espíritu Santo sea con vuestra señoría siempre... Cada día se hace particular oración en el coro, y sin eso todas tienen cuidado, que como saben lo que yo a vuestra señoría amo y no conocen otro padre, tienen a vuestra señoría gran amor, y no es mucho, pues no tenemos otro bien en la tierra, y como todas están tan contentas no acaban de agradecer a vuestra señoría su principio. ... Son verdaderos hijos de vuestra señoría y desean no enojarle, pero no los puedo dejar de echar culpa. Ya parece van entendiendo que fuera mejor haber ido por otro camino por no enojar a vuestra señoría... Gracián es como un ángel... Primero entienda vuestra señoría, por amor de nuestro Señor, que todos los descalzos juntos no tengo yo en nada a trueco de lo que toca en la ropa a vuestra señoría y que es darme en los ojos dar a vuestra señoría disgusto... Y si acá estuviera Teresa de Jesús, quizá se hubiera mirado más esto; porque no se trataba de hacer casa que no fuese con licencia de vuestra señoría, que yo no me pusiese brava... Y cuando miro los grandes trabajos que han pasado y la penitencia que hacen —que realmente entiendo son siervos de Dios— dáme pena se entienda que vuestra señoría los desfavorece..."

No cabe más respeto ni sumisión, aunque sin ofender a la verdad.

Mas sus esfuerzos persuasivos y conciliatorios resultaron vanos, extrañándose ella misma, como si se hubiese querido volcar el descrédito sobre todas sus funciones y toda su obra. En diciembre de 1575, efectivamente, recibió orden del General Carmelita de meterse en uno de sus conventos de Castilla y no volver a salir de él. Estaba como arrestada en su domicilio. De esta forma ya no podría ir a fundar nuevos conventos.

Sin embargo, entonces fue cuando más brilló en nuestra Santa el espíritu sobrenatural que la hizo triunfar clamorosamente. Obedeció sin rechistar la orden que se le daba y aun se mostró muy contenta. "Han creído que iban a disgustarme —escribió ella— y en realidad me han complacido sobremanera". Esta especie de encarcelamiento que tuvo en el convento de Toledo, primeramente, y luego en el de San José de Avila, duró cuatro años, desde 1576 a 1580, siendo este tiempo en que escribió, por mandato de uno de sus confesores, el maravilloso *Castillo Interior*, del que un gran crítico español, Menéndez y Pelayo, dijo que una sola obra como ésta es suficiente para dar gloria inmortal a todo un siglo.

Ha llegado el momento de que penetremos todo lo que nos es dado hacerlo, en el santuario de su pensamiento más íntimo, es decir, en su *vida de oración*.

VIII.   TERESA MAESTRA DE ORACION

La voz de la Iglesia

En la oración de la misa de Santa Teresa el 15 de octubre, la liturgia nos hace pedir a Dios "que nos alimentemos con el alimento de su celestial doctrina". Mucho se han de meditar estas palabras para medir la estimación en que tiene la Iglesia a esta gran Santa cuya vida escribimos. Y es que, según enseña la teología, la ley de la oración es la misma ley de la fe. Lo que pedimos a Dios por medio de Sta. Teresa es lo mismo que Dios nos ha querido aportar por su medio. En la fórmula citada han sido pesadas las palabras y todas ellas tienen la plenitud de su sentido. En las mismas se afirma que Teresa tuvo por misión extender una doctrina. Y ello es ya muy notable si se piensa que se trata de una mujer y San Pablo nos dice que las mujeres han de callar en la Iglesia. La colecta de la misma precisa que la doctrina de Sta. Teresa es celestial, lo que equivale a decir que no sólo tiene por finalidad conducir al cielo, sino que procede directamente de él. Los teólogos y los historiadores han discutido mucho sobre todo eso y se han preguntado si ha de verse efectivamente en Teresa una especie de Doctora de la Iglesia. El dicho de S. Pablo se aplica a las reuniones litúrgicas, que es donde deben callar las mujeres. Pero el caso de Teresa es muy diferente. Nunca habló en las asambleas litúrgicas, sino que escribió mucho y sus escritos se han juzgado co-

131

mo verdaderos dones del cielo a su Iglesia. La Santa, por lo demás, nunca escribió más que por obediencia. Siempre tomó la pluma obedeciendo a sus directores y confesores, y esto ya confiere de por sí un carácter celestial a sus obras. Este carácter brilla y se manifiesta todavía más en la materia de sus libros. Al hablar Bossuet de Teresa lo hace como refiriéndose a una autoridad indiscutible en asunto de doctrina mística.

Teresa de Jesús ocupa un rango especial en la historia de la Iglesia. Ninguna otra mujer desempeñó un papel comparable al suyo.

Mas, ¿en qué consiste este don? Respondiendo a esta pregunta ha dicho un historiador que Teresa fue "maestra de oración".

Pocos títulos hay más gloriosos, si es que existe alguno. En la vida de Teresa, la oración ocupó un primer lugar. Según ella la oración ha de ocuparnos por completo. Sin embargo es preciso saber qué entendía por esta palabra. Antes enumeraremos las obras de la Santa, porque en todas ellas trató de la oración de una u otra forma.

Las obras de Sta. Teresa

Las principales obras de Sta. Teresa de Jesús son las siguientes: la *Vida*, el *Camino de perfección*, las *Fundaciones, Meditaciones sobre los Cantares*, las *Exclamaciones* y las *Moradas del Castillo Interior*.

Se tiene por una sublime trilogía la *Vida*, el *Camino de perfección* y el *Castillo interior*. En esta trilogía es donde principalmente se encuentra su doctrina de la oración, es decir, la celestial que la Iglesia nos hace pedir a Dios para alimento de nuestras almas. De estas tres obras, la que la posteridad ha considerado más accesible, viva, luminosa y atractiva, la que se ha leído con mayor gusto y se ha traducido a todas las lenguas es el libro de su *Vida*, aunque el *Castillo Interior*, pasa, con razón, por ser el más profundo y extraordinario. Se relaciona, no obstante, de manera tan estrecha con la *Vida*, por su contenido, que se ha podido decir que constituye su último capítulo.

Añadamos que para tener una idea completa del pensamiento de la Santa han de tenerse en cuenta sus *Cartas*, tan vivas y llenas de encanto.

¿Qué es la oración?

Para conocer bajo la dirección de Teresa de Jesús el gran tema de la *oración*, hay que empaparse primeramente de su mismo espíritu. Ahora bien, jamás se le ocurrió pensar que hubiese inventado algo en esta materia ni que fuera capaz de ello. Al tratar de esta cuestión en su vida por orden formal de sus confesores, tuvo buen cuidado de empezar con un gran acto de humildad, por saber que la humildad es la verdad. La oración y la vida de oración son tan antiguos como la humanidad porque forman parte esencial de la verdadera re'igión. No hay religión sin oración, ni oración sin corazón, y la oración no es más que la plegaria del corazón.

Pero escuchemos a Teresa:

"El bien que tiene quien se ejercita en oración, —hay muchos santos y buenos que lo han escrito— digo oración mental, ¡gloria sea a Dios por ello!; y cuando no fuera esto, aunque soy poco humilde, no tan soberbia que en esto osara hablar. De lo que yo tengo experiencia puedo decir, y es que, por males que haga quien la ha comenzado, no la deje, pues es sabido por donde puede tenerse a remediar ..."

Veía en la oración un poderoso medio para corregirse de los defectos, purificar el alma y elevarse a Dios. Esto ya se sabía antes de e'la, pero su cometido fue sistematizar, por así decirlo, la doctrina de la oración, explicarla, ponerla al alcance de todos, despertar el deseo de la misma, difundir su práctica, en una palabra, convertirse, sin darse cuenta en "maestra de oración".

"Oración mental —dice la Santa— no es otra cosa, a mi parecer, sino tratar de amistad, estando muchas veces tratando a solas con quien sabemos nos ama". He ahí una definición muy sencil'a y lógica a la vez. Por el'a vemos hasta qué punto forma la oración parte de la religión, sobre todo, de la cristiana. El primer mandamiento, y el mayor de todos, el más antiguo y que Cristo puso de relieve es: "Amarás al Señor tu Dios, con todo tu corazón, con toda tu alma y con todas tus fuerzas". Amar a Dios es pensar en él y expresarle el propio amor. Eso mismo es la oración.

En la base de la doctrina de la oración está la definición de Dios según San Juan: *Dios es amor.* La oración es, pues, trato amistoso y a solas con quien sabemos nos ama.

La única condición previa para orar es amar a Dios.

"Y si vos aún no le amás —dice Teresa— (porque para ser verdadero el amor y que dure la amistad, hanse de encontrar las condiciones, la del Señor ya se sabe que no puede tener falta, la nuestra es ser viciosa, sensual, ingrata), no podéis acabar con vos de amarle tanto porque no es de vuestra condición; mas viendo lo mucho que os va en tener su amistad y lo mucho que os ama, pasáis por esta pena de estar mucho con quien es tan diferente de vos".

Así, pues, la oración exige un esfuerzo. Sin él, nuestro amor tendría poco valor ante Dios. Y por ser preciso un esfuerzo para hacer oración, esto mismo nos conduce al corazón del drama humano. Sólo Dios es nuestra salvación, nuestra alegría, nuestra santidad, nuestro fin y nuestra dicha. El drama está en que no lo entendemos así porque el enemigo de nuestra alma nos aparta de Dios. Teresa quiere que se venza este temor mantenido por muchos cristianos, y por eso dice:

"No entiendo esto que temen los que temen comenzar oración mental, ni sé de qué han miedo. Bien hace de ponerle el demonio para hacernos él de verdad mal si con miedos me hace, no piense en lo que he ofendido a Dios, y en lo mucho que le debo, y en que hay infierno y gloria, y en los grandes trabajos y dolores que por mí pasó".

Al escribir esto, Teresa sabía que resumía para nosotros los temas de su oración. Hacer oración es expresar a Dios el propio amor, pero para expresárselo hace falta tener presente y decirle lo que se le debe, es preciso dolerse amargamente de todas las ofensas que se le han hecho y recordar todas las pruebas de amor que nos ha prodigado por medio de su divino Hijo.

Nada más claro y lógico. Mas el hombre no es ningún teorema, ni obedece siempre a la lógica pura. ¡Sería demasiado bello! Teresa se pone en nuestro lugar y excusando de antemano nuestra aversión a practicar la oración, nos manifiesta la suya propia y nos indica el medio empleado para vencerla:

"Muy muchas veces —nos dice— algunos años, tenía más cuenta con desear se acabase la hora que tenía por mí de estar, y escuchar cuando daba el reloj, que no en otras cosas buenas; y hartas veces no sé qué penitencia grave se me pusiera delante que no la acometiera de mejor gana que recogerme a tener oración. Y es cierto que era tan incomportable la fuerza que el demonio me hacía, o mi ruin costumbre, que no fuese a la oración, y la tristeza que me daba entrando en el oratorio, que era menester ayudarme de todo mi ánimo (que dicen no lo tengo pequeño, y se ha visto me lo dio Dios harto más que de mujer, sino que le he empleado mal) para forzarme, y en fin me ayudaba el Señor. Y después que me había hecho esta fuerza, me hallaba con más quietud y regalo que algunas veces que tenía deseo de rezar".

Después de semejante experiencia, ¿quién puede vacilar en ponerse en camino como ella? Teresa no se nos muestra como modelo. Si encuentra en ella alguna virtud, sabe que la debe únicamente a Dios. Todos pueden hacer lo mismo o más que ella, según su parecer:

"Pues si a cosa tan ruin como yo —dice expresamente la Santa— tanto tiempo sufrió el Señor —y se ve claro que por aquí se remediaron todos mis males— ¿qué persona, por mala que sea, podrá temer?...

"¿Ni quién podrá desconfiar, pues a mí tanto me sufrió, sólo porque deseaba y procuraba algún lugar y tiempo para que estuviese conmigo?"

Bien claro aparece que nada hay tan útil, beneficioso para el alma y más dirigido al fin supremo de la existencia humana como la vida de oración. Y siendo cosa tan sagrada, ¿por qué ha de ser tan opuesta a ella nuestra naturaleza?

Teresa respondería que eso supone y demuestra la existencia del pecado original. Pero va a hacernos ver otra cosa muy distinta. Todo lo que acabamos de conocer de ella por medio del libro de la Vida (cap. VIII) no es más que el comienzo. Aunque muy personal, no aporta, sin embargo, nada nuevo. No ocurre, en cambio, lo mismo cuando entra en la exposición de los *grados de oración* que es donde verdaderamente se ve la innovación aportada por la Doctora Mística.

Los grados de oración

Si es cierto que los comienzos de la oración son penosos; si resulta difícil conseguir la concentración y el recogimiento de nuestras facultades, siempre más o menos dispersas, no ha de creerse, sin embargo que Dios nos abandona en nuestros esfuerzos. Dejaría de ser el Dios del Amor. Lo que ocurre es que hay diversos grados de oración, los cuales quedan determinados por la intensidad de la acción divina en nosotros.

¿Cómo mostrar esto con claridad? Teresa lo logró mejor que nadie antes de ella y después siempre ha continuado siendo una autoridad a la que es preciso citar para la exposición de un asunto que tanto nos importa conocer.

La página que vamos a transcribir es una de las más renombradas entre las dejadas por Teresa de Jesús.

"Habré de aprovecharme —dice ella— de alguna comparación, aunque yo las quisiera excusar

137

por ser mujer, y escribir simplemente lo que me mandan; mas este lenguaje de espíritu es tan malo de declarar a los que no saben letras como, que habré de buscar algún modo, y podrá ser las menos veces acierte a que venga bien la comparación... Paréceme ahora a mí que he leído u oído esta comparación, que como tengo mala memoria, ni sé a dónde ni a qué propósito, mas para el mío ahora conténtame.

"Ha de hacer cuenta el que comienza, que comienza a hacer un huerto en tierra muy infructuosa que lleva muy malas hierbas, para que se deleite el Señor. Su Majestad arranca las malas hierbas y ha de plantar las buenas. Pues hagamos cuenta que está ya hecho esto cuando se determina a tener oración un alma, y lo ha comenzado a usar; y con ayuda de Dios hemos de procurar, como buenos hortelanos, que crezcan estas plantas y saber y tener cuidado de regarlas para que no se pierdan, sino que vengan a echar flores que den de sí gran olor, para recreación a este Señor nuestro, y así venga a deleitarse muchas veces a estas huertas y a holgarse entre estas virtudes".

El problema está bien delimitado. La práctica de la oración presupone el orden en el alma que desea entregarse a ella. El huerto está ya roturado y preparado, sin malas hierbas, es decir, sin malas inclinaciones y hábitos culpables; por el contrario, ya hay en él hermosas plantas, o sea, las virtudes de la fe, esperanza y caridad, así como las morales de la justicia, prudencia, fortaleza y templanza, con todas sus numerosas variedades. Ese es el trabajo de ascetismo. Ahora corresponde a la teología mística revelar sus riquezas. Eso lo conseguirá la oración en sus diversos grados.

Teresa nos lo va a hacer conocer con una de las comparaciones más originales y de suma claridad.

Cuatro maneras de regar

"Pues veamos ahora —prosigue la Santa— de la manera que se puede regar, para que entendamos lo que hemos de hacer y el trabajo que nos ha de costar, si es mayor que la ganancia, o hasta qué tanto tiempo se ha de tener.

"Paréceme a mí que se puede regar de cuatro maneras: o con sacar el agua de un pozo, que es es a nuestro gran trabajo; o con noria y arcaduces, que se saca un torno (lo yo he sacado algunas veces), es a menos trabajo que estotro y sácase más agua; o de un río o arroyo, esto se riega muy mejor, que queda más harta la tierra de agua y no se ha menester regar tan a menudo, y es a menos trabajo mucho del hortelano, o con llover mucho, que lo riega el Señor sin trabajo nuestro, y es muy sin comparación mejor que todo lo que queda dicho.

"Ahora, pues, aplicadas estas cuatro maneras de agua de que se ha de sustentar este huerto —porque sin ella perderse ha— es lo que a mí me hace al caso, y ha parecido que se podrá declarar algo de cuatro grados de oración, en que el Señor, por su bondad, ha puesto algunas veces en mi alma..."

Según Teresa hay, pues, cuatro grados de oración. Pero guardémonos muy mucho de tener este número por fijo e invariable. Cuando escribió su *Castillo interior*, al hacer la enumeración de las "moradas", es decir, de los nuevos grados de oración, señaló siete. Juan de la Cruz, al querer fijar la escala del amor místico, encontró diez escalones. Poco importa. Lo que debemos comprender es que, conforme nos remontamos hacia Dios, El nos sale al encuentro. Como ya lo hemos dicho, cuando damos un paso hacia Dios, El da dos hacia nosotros. La misma ley de los grados de oración es que el agua viene siempre con mayor abundancia y facilidad, y que el trabajo del hortelano no cesa de disminuir porque Dios termine haciéndolo todo. Es lo que los teólogos expresan exponiendo la oración activa a la pasiva.

La oración activa

Teresa nos describe la oración activa que es la propia de los principiantes.

"De los que comienzan a tener oración, podemos decir son los que sacan el agua del pozo, que es muy a su trabajo, como tengo dicho, porque han de cansarse en recoger los sentidos; que, como están acostumbrados a andar derramados, es harto trabajo. Han menester irse acostumbrando a no se les dar nada de ver ni oír, y aun ponerlo por obra las horas de la oración, sino estar en soledad y apartados pensar su vida pasada, (aunque esto, primeros y postreros, todos los han de hacer muchas veces); hay más y menos de pensar en esto, como después diré.

"Al principio aún da pena que no acaban de entender que se arrepienten de los pecados; y sí hacen, pues se determinan a servir a Dios tan de veras. Han de procurar tratar de la vida de Cristo y cánsase el entendimiento en esto".

Traduciendo al lenguaje de nuestro tiempo lo que precede, podríamos decir que la oración activa es la de los principiantes y exige una gran resolución desde los comienzos. Hay que fijar una hora determinada y no faltar a ella bajo ningún pretexto, lo que ya es un mérito. En el momento preciso la oración empieza por un esfuerzo de "recogimiento". Esta palabra indica claramente que nuestras facultades están casi siempre en "el aire", en constante movimiento, arrastrándonos consigo, mal que nos pese. Por regla general son los sentidos de la vida y del oído los que nos asedian con los ruidos y visiones de lo exterior. El recogimiento consiste en conseguir silencio en torno de nuestra alma, en hacer la noche —son palabras de Juan de la Cruz— de manera que no oigamos ni veamos más que a Dios. El recogimiento es la condición necesaria para la "concentración".

"Esto es lo que podemos adquirir por nosotros —dice Teresa— entiéndese con el favor de Dios, que sin éste ya se sabe no podemos tener un buen pensamiento; esto es comenzar a sacar el agua del pozo".

Sequedad

Teresa no quiere quedarse en la teoría. No puede creer que siempre ha de haber agua en el pozo.

No sería la verdadera *maestra de oración* si sólo se atuviese a generalidades demasiado sencillas.

No fue en los libros donde halló todo cuanto sabía sobre el particular, aunque algo extrajo de ellos, según sus propias manifestaciones. Donde más leyó nuestra Santa fue en el gran libro de la vida.

141

Escuchémosla ahora hablar de la gran prueba de los principiantes en oración, *la sequedad.* ¡A cuántos no ha desalentado esta prueba!

Tras haber hablado de la operación consistente en sacar agua del pozo, añade con gran naturalidad:

"¡Y aun plega a Dios que la tenga! Mas al menos no queda por nosotros, que ya vamos a sacarla y hacemos lo que podemos para regar estas flores".

¡Es tan buena hora! ¡Qué seguridad nos proporciona! Insiste sobre esto extensamente por no haber lección tan oportuna:

"Y es Dios tan bueno que, cuando por lo que Su Majestad sabe —por ventura para gran provecho nuestro— quiere que esté seco el pozo, haciendo lo que es en nosotros, como buenos hortelanos, sin agua sustenta las flores y hace crecer las virtudes. Llamo agua aquí lágrimas, y, aunque no las haya, la ternura y sentimientos interior de devoción"

Nuestro esfuerzo nunca es perdido. No cabe pensar otra cosa. Dios no sería tal, es decir, Amor, si fuera de otra forma. El crecimiento de las flores y de las virtudes se produce sin que nosotros nos apercibamos. Huyamos, pues, de todo desaliento como de la peste. La tentación más dañina sería creer inútil nuestra aplicación a la oración con el pretexto de la sequedad.

"Pues ¿qué hará aquí —dice Teresa— el que ve que en muchos días no hay sino sequedad, y disgusto y desabor, y tan mala gana para venir a sacar el agua que, si no se le acordase que hace placer y servicio al Señor de la huerta, y mirase a no perder todo lo servido, y aun lo que espera ganar del gran trabajo que es echar muchas veces el caldero en el pozo y sacarle sin agua, lo dejaría todo? Y muchas veces le acaecerá aun para esto no se le alzar los brazos, ni podrá tener un buen pensamiento, que este obrar con el entendimiento, entendido que es el sacar agua del pozo.

"Pues como digo, ¿qué hará aquí el hortelano? Alegrarse y consolarse, y tener por grandísima merced de trabajar en huerto de tan gran Emperador; y pues sabe le contenta en aquello, y su intento no ha de ser contentarse a sí, sino a El, alábele mucho, que hace de él confianza, pues ve que sin pagarle nada tiene tan gran cuidado de lo que le encomendó; y ayúdele a llevar la cruz, y piense que toda la vida vivió en ella, y no quiera acá su reino, ni deje jamás la oración; y así se determine —aunque para toda la vida le dure esta sequedad— no dejar a Cristo caer con la cruz; tiempo vendrá que se lo pague por junto; no haya miedo que se pierda el trabajo; a buen amo sirve, mirándole está; no haga caso de malos pensamientos; mire que también los representaba el demonio a San Jerónimo en el desierto".

¿Cómo sabe Teresa todo eso? El ejemplo que cita de la Epístola de S. Jerónimo *ad Eustochium* indica que tenía presentes en su memoria muchas páginas de sus lecturas piadosas. Pero, por encima de todo, según lo hemos dicho, hablaba por propia experiencia:

"Su precio se tienen —prosigue escribiendo— estos trabajos, que (como quien los pasó muchos años, que cuando una bendita gota de agua sacaba de este bendito pozo, pensaba me hacía Dios merced) sé que son grandísimos, y me parece es menester más ánimo que.para otros muchos trabajos del mundo. Mas he visto claro que no deja Dios sin gran premio, aun en esta vida; porque es así cierto que una hora de las que el Señor me ha dado de gusto de Sí, después acá, me parece quedan pagadas todas las congojas que en sustentarme en la oración mucho tiempo pasé.

"Tengo para mí que quiere el Señor dar muchas veces al principio, y otras a la postre, estos tormentos y otras muchas tentaciones que se ofrecen, para probar a sus amadores y saber si podrán beber el cáliz y ayudarle a llevar la cruz, antes que pongan en ellos grandes tesoros. Y para bien nuestro creo nos quiere Su Majestad llevar por aquí, para que entendamos bien lo poco que somos; porque son de tan gran dignidad las mercedes de después, que quiere por experiencia veamos antes nuestra miseria, primero que nos la dé, porque no nos acaezca lo que a Lucifer".

Creemos que las citas que acabamos de hacer son suficientes para darnos una idea de la riqueza de los escritos de la Santa y de los consejos que prodiga en sus libros a los principiantes, que son, desde luego, quienes más los necesitan.

El libro de su *Vida* habla detalladamente de los otros tres grados de oración correspondientes a las tres maneras de regar que ha mencionado. Mas como quiera que trató todo eso de forma más acabada en su *Castillo interior*, buscaremos en un rápido análisis de esta obra maestra un resumen menos suscinto.

¡Ojalá pueda el presente librito inducir a muchos lectores a buscar por sí mismos en los escritos de la Santa Doctora las luces que hayamos logrado hacerles conocer!

IX. LAS MORADAS DEL CASTILLO INTERIOR

Orígenes de una obra maestra

Debe recordarse que, teniéndose a Teresa por responsable de las discordias surgidas entre los carmelitas mitigados y los reformados, recibió en diciembre de 1575 la orden de retirarse a uno de sus monasterios y que no saliera de él. Dócilmente fue a encerrarse en Toledo. Allí tuvo por confesor a un piadoso personaje llamado Don Juan Velázquez Dávila. De acuerdo con el Padre Jerónimo Gracián, ordenó a Teresa que escribiera sobre la perfección. Su libro de la Vida se encontraba entonces sometido a la Inquisición.

Teresa objetó en un principio que no era asunto propio de mujer. "¿Para qué quieren que escriba? —respondió—. Dejen que escriban los que han estudiado. Yo soy una ignorante que no sabe lo que dice. Ya hay muchos libros de oración. Por el amor de Dios, que se me deje la rueca y seguir en el coro los oficios de mi regla como las demás monjas. Yo no estoy hecha para escribir, puesto que me faltan la santidad y el talento necesario".

Pero con todo tenía que someterse al parecer de su confesor.

Fue en junio de 1577 cuando se puso a trabajar. En el curso de su redacción se le permitió salir de su residencia de Toledo y trasladarse a su querida Avila.

Fue, pues, en esta segunda ciudad donde acabó la obra después de cinco meses de labor, interrumpida sin cesar por numerosos trabajos y los cuidados que le procuraba la reforma, así como por las borrascas que levantaba sin cesar la querella entre reformados y mitigados, y en ocasiones también por las angustias que le daban. Mucho es de admirar, por ello, la inmensa serenidad que se advierte en este libro a pesar de las circunstancias que rodearon su composición. La Santa escribía en los momentos que le dejaba libres su regla, lo más frecuente después de haber comulgado, afluyéndole con tal abundancia las ideas, que apenas lograba su pluma transcribirlas al papel. Contrariamente a cuanto se sabe acerca de las obras maestras del arte y de la literatura, *Las moradas del Castillo interior* fue el fruto muy visible de inspiraciones recibidas de lo alto mucho más que el resultado de las monstruosas concentraciones de los autores más célebres.

La idea y el título

Uno de los primeros biógrafos de Teresa, Yepes, expone como sigue la idea y el título del libro:

"El Señor le hizo ver un globo muy hermoso de cristal en forma de castillo, con siete moradas, contemplando en la séptima, que se hallaba en el centro, al Rey de la gloria, con magnífico esplendor, que esparcía su belleza y su luz sobre las otras moradas que había a su alrededor... Por fuera todo eran tinieblas y manchas llenas de sapos, víboras y otros animales venenosos. Mientras admiraba la belleza que Dios esparce en las almas, desapareció de pronto la luz, sin que el Rey de la gloria se ausentase de su morada, quedando en seguida el cristal lleno de oscuridad, tan negro co-

146

mo el carbón, despidiendo un olor insoportable y todos los bichos venenosos que había alrededor, tuvieron permiso de entrar en el castillo".

En resumen, era una imagen original y muy viva de toda la historia del alma. Nuestra alma es todo un mundo y está dividido en varios aposentos, pero todos deben recibir la luz del centro, donde se encuentra Dios.

Antes de citar las páginas más memorables de este libro, trataremos de dar una idea de conjunto, adaptándolo a nuestro vocabulario actual.

Las siete moradas

Primero están las *almas simplemente creyentes;* algo más alto, los *buenos cristianos;* luego vienen las *almas piadosas;* las *almas fervorosas;* las *almas santas;* las *almas heroicas,* y los *grandes santos.*

De igual manera que hay nueve coros de ángeles, habría, pues, siete clases de cristianos.

Primera morada: ocupan la primera pieza, en bajo, quienes tienen fe y rezan también de vez en cuando, sobre todo en los momentos de pena o en las necesidades urgentes, pero entran libremente en sus almas los cuidados y las preocupaciones terrestres, aun durante el tiempo en que rezan. Las serpientes, que representan los pecados mortales, y los insectos, imagen de los veniales, abundan más o menos porque las puertas del castillo están mal guardadas y penetran en él como les place.

Segunda morada: el alma que ocupa este aposento no es tan sorda y muda como las de la morada precedente, con respecto a Dios. Oye la llamada de Jesús, le responde y trata de formar su voluntad a la de Dios, de manera que procura expulsar del Castillo primeramente las serpientes más indeseables y hasta los insectos, que no está bien que se hallen en una casa habitada por Dios.

Tercera morada: el alma de esta morada está resuelta a no ofender a Dios. Huye absolutamente del pecado mortal y evita con gran cuidado las ocasiones que conducen a él. Se esfuerza cuanto puede por evitar también los pecados veniales, lo cual le resulta más difícil. Hace progresos por este camino y se nota que los insectos —o pecados veniales— son escasos y se hacen cada vez más imperceptibles. Esta alma se entrega a la oración. Se muestra muy animosa y saca los frutos: el recogimiento, la penitencia, el desapego de los bienes de este mundo, la lucha con los defectos y las imperfecciones.

Cuarta morada: aquí se opera el paso de la *oración activa* a la *pasiva*. Hace cuarenta años se discutió vivamente sobre la cuestión de saber si existe una transición natural e insensible de una a otra forma de oración, o si se trata de dos dominios completamente distintos, de forma que hay almas que, a pesar de sus esfuerzos, no son llamadas a los grados superiores de la oración y de la santidad. Parece ser que Teresa no separa ambas cosas. El método activo y el pasivo se relacionan estrechamente y como por necesidad si se persevera armoniosamente en la primera. Es lo que Teresa nos dijo en el capítulo precedente. Después de sus arideces y hastíos. el Señor hace brillar en seguida su luz y en una sola hora paga con creces años enteros y en apariencia inútiles. Ella misma había sido elevada muy pronto, mas sólo algunos instantes, a la oración de quietud y hasta la oración de unión, que son *oraciones pasivas*. Es precisamente en la cuarta morada en la que se verifica la repentina transformación. La oración activa da paso a la oración de quietud, que es el primer grado de las oraciones sobrenaturales. En la primera se lleva el agua para regar el huerto, como por un acueducto, con gran refuerzo de pensamientos y reflexiones personales y aplicando las potencias, como decía San Ignacio, es decir, la memoria, la inteligencia y la imaginación. En la segunda, la fuente fecunda al alma por la gracia de Dios, sin esfuerzo por nuestra parte, no habiendo más que abandonarse a la acción divina.

Sería erróneo, sin embargo, dejarse llevar demasiado por la expresión "oración pasiva", hasta el punto de creer que el alma no actúa más o menos y que lo hace en menor proporción que anteriormente. En ella sólo se encuentra cambiada la proporción de las actividades. La acción de Dios aporta a las facultades humanas posibilidades tan claramente superiores a sus condiciones, que no podrían procurárselas de por sí ni impedir que se produzcan cuando se presentan. En esta doble impotencia es donde Teresa discernía lo sobrenatural, pero sin cesar de recomendar que no se busque por sí mismos los grados de oración que Dios no nos ha concedido todavía. ¿Por qué ha de ser así? Porque "el estandarte de la humildad —según ella— debe precedernos siempre a fin de hacernos comprender que las fuerzas no proceden de nosotros".

En esta impotencia de nuestra parte es en lo que precisamente consiste nuestra pasividad. Esta no cesa de acentuarse a medida que se asciende por la escala de la perfección, como vamos a ver.

Quinta morada: la oración de quietud o de recogimiento cede el paso a la *oración de unión*. En la primera, el alma parecía estar como adormecida, pero en la segunda se siente fuertemente atraída por Dios, de forma que está muy despierta en su Señor y sólo piensa en El, sin fijar la atención en sí misma ni en las criaturas. Por la acción de Dios todas las facultades se concentran en El, con perfecta sumisión a toda Su Voluntad, con absoluta obediencia al primer signo proveniente de El y con el ardiente amor que el alma saca del Amor por excelencia. Es como el primer encuentro de la esposa con el divino Esposo, no tardando en producirse los esponsales.

Sexta morada: se perfecciona la santidad de la prometida en el curso de un período más o menos prolongado de pruebas espirituales, muy diferentes de las ya pasadas, en el sentido que son mucho más violentas de una parte, yendo acompañadas de otra por favores espirituales mucho más extraordinarios, tales como el don de lágrimas en la intensidad de la contrición de los pecados de la vida pasada, visiones sobrenaturales, locuciones, éxtasis, don de profecía o de leer en las almas. etc. Todo ello, sin embargo, subordinado a la voluntad de Dios y a las misiones que le plazca encomendar a la esposa.

Séptima morada: el alma está ya unida a su Dios por medio de un verdadero *matrimonio espiritual*. Jesús le da entonces las luces más extraordinarias acerca de la Sma. Trinidad, de su santa Humanidad y de los demás misterios de la fe. Se está en la paz absoluta la mayor parte del tiempo, aunque Dios permite a veces algunas tempestades pasajeras para tener al alma en la humildad,

siempre más necesaria. También se producen arideces y mayores trabajos interiores.

Esta descripción de las diversas moradas, dada por primera vez por Teresa, se ha hecho ya
clásica. Jamás hasta entonces se había hecho tanta luz sobre los misterios de la ascensión espiritual hacia Dios. Había habido en los siglos precedentes grandes místicos, tales como Catalina de
Siena, Gertrudis, Buenaventura, Francisco de Asís
y Bernardo de Clairvaux. Pero ninguno de ellos
había recibido de Dios el don de describir las maravillas que se realizaban en ellos. El gran progreso conseguido en tiempo de Sta. Teresa, y del
que la mística Doctora española fue su más me-
morable instrumento, consistió en el estudio de la
oración, de sus diversas formas y de los grados
de perfección a que debe elevarse el alma por medio de la misma.

Después de haber agrupado las enseñanzas de
Teresa de Jesús, debemos insistir sobre ciertas des-
cripciones concernientes a los estados más elevados del alma.

La oración de recogimiento o de quietud

El primer grado de las oraciones llamadas *pasivas* o sobrenaturales es, según Sta. Teresa, la oración de quietud o de recogimiento.

"Entiendo por *sobrenatural* —escribió ella—
todo lo que no puede adquirirse por procedimien-
to ni por aplicación, por cuidado que se ponga en
ello. La primera de mis oraciones que me pareció
tal fue un recogimiento interior del que tenía conciencia el alma... De este recogimiento emana a
veces una *quietud*, una paz interior muy sustancio-

151

sa. El alma tiene la impresión de que no le falta nada. El hablar la fatiga —me refiero a rezar y meditar—; no desea más que amar. Esto puede durar poco o mucho tiempo".

Teresa, como ya lo hemos dicho, sitúa esta forma de oración en la cuarta morada. En ella habla de la manera que sigue:

"Los efectos de esta oración son muchos; algunos diré, y primero otra manera de oración, que comienza casi siempre primero que ésta, y por haberla dicho en otras partes, diré poco. Un recogimiento que también me parece sobrenatural, porque no es estar en oscuro, ni cerrar los ojos, ni consiste en cosa exterior, puesto que, sin quererlo, se hace esto de cerrar los ojos y desear soledad, y sin artificio, parece que se va labrando el edificio para la oración que queda dicha; porque estos sentidos y cosas exteriores parece que van perdiendo su derecho, porque el alma vaya cobrando el suyo que tenía perdido..."

Después de dicho esto, ya se ve que existe una diferencia entre la oración de recogimiento y la de quietud, pero la una conduce a la otra. En el recogimiento es donde se encuentra el reposo llamado quietud. Teresa denomina también este estado con el nombre de "gusto de Dios". No se tiene gusto por nada más que El. Sólo se siente alegría y dicha en El. Todo se abandona por El. Y ello viene de El, por ser un don sobrenatural que no puede procurarse por sí el alma. Para hacer comprender la diferencia entre el *gusto* de Dios y el gozo espiritual que puede precederlo, vuelve a la comparación del agua que riega el huerto. Supone la existencia de dos pilas en las que puede reunirse esta agua:

"Hagamos cuenta —dice—, para entenderlo mejor, que vemos dos fuentes con dos pilas que se hinchan de agua. Que·no me hallo cosa más a propósito para declarar algunas de espíritu que esto de agua; y es, como sé poco y el ingenio no ayuda y soy tan amiga de este elemento, que le he mirado con más advertencia que otras cosas, que en todas las que crió tan gran Dios, tan sabio, debe haber hartos secretos de que nos podemos aprovechar.

"Estos dos pilones se hinchen de agua de diferentes maneras; el uno viene de más lejos por muchos arcaduces y artificio; el otro está hecho en el mismo nacimiento del agua y vase hinchando sin ningún ruido; y si es el manantial caudaloso, como éste de que hablamos, después de henchido este pilón procede un arroyo; ni es menester artificio ni se acaba el edificio de los arcaduces, sino siempre está procediendo agua de allí.

"Es la diferencia que la que viene por arcaduces es —a mi parecer— los contentos que tengo dicho que se sacan con la meditación, porque los traemos con los pensamientos, ayudándonos de las criaturas en la meditación y cansado el entendimiento; y como viene, en fin, con nuestras diligencias, hace ruido, cuando ha de haber algún hinchamiento de provechos que hace en el alma, como queda dicho.

"Estotra fuente (oración de quietud) viene el agua de su mismo nacimiento, que es Dios. Y así como Su Majestad quiere, cuando es servido hacer alguna merced sobrenatural, produce con grandísima paz y quietud y suavidad de lo muy interior de nosotros mismos, yo no sé hacia dónde ni cómo, ni aquel contento y deleite se siente como los de acá en el corazón —digo en su principio, que después todo lo hinche—, vase revertiendo este agua por todas las moradas y potencias hasta llegar al cuerpo, que por eso dije que comienza de Dios y acaba en nosotros; que cierto, como verá quien lo hubiere probado, todo el hombre exterior goza de este gusto y suavidad..."

¿Cómo no desear alcanzar semejante estado? Mas es preciso someterse a la divina voluntad con mucha humildad, y Dios actuará cuando le plazca. Esto es lo que dice una y mil veces Teresa:

"Luego querréis, mis hijas, procurar tener esta oración, y tenéis razón, que —como he dicho— no acaba de entender el alma las que allí la hace el Señor y con el amor que la va acercando más a Sí; que cierto está desear saber cómo alcanzaremos esta merced. Yo os diré lo que en esto he entendido.

"Dejemos cuando el Señor es servido de hacerla porque Su Majestad quiere y no por más. El sabe el por qué, no nos hemos de meter en eso. *Después de hacer lo que los de las moradas pasadas, ¡humildad! ¡humildad!; por ésta se deja vencer el Señor a cuanto de El queremos...*"

La oración de unión

Aquí todo depende de Dios. Cuanto más nos remontemos hacia El, tanto más tenemos que humillarnos y persuadirnos de que todo viene únicamente de El.

Teresa tenía clara conciencia de que su misión era preparar en el Carmelo almas capaces de ser elevadas por Dios, no sólo a la oración de quietud, de que acabamos de hablar, sino también a la de *unión*.

En su libro de *Las Moradas*, dirigido a sus religiosas, declara:

"Hay más y menos, y a esta causa digo que son las más las que entran en ellas... Así digo ahora que, aunque todas las que traemos este hábito sagrado del Carmen somos llamadas a la oración y contemplación (porque éste fue nuestro principio, de esta casta venimos, de aquellos santos Padres nuestros del Monte Carmelo, que en tan gran soledad y con tanto desprecio del mundo buscaban este tesoro, esta preciosa margarita de que hablamos), pocas nos disponemos para que nos la descubra el Señor".

Mas, ¿en qué consiste precisamente la *oración de unión*, tan deseable que ha podido servir de fin propio para toda la Orden del Carmelo? Teresa trata de decirlo en las siguientes líneas:

"No penséis que es cosa soñada, como la pasada; digo soñada, porque así parece está el alma como adormecida, que ni bien parece está dormida, ni se siente despierta. Aquí, con estar todas dormidas, a las cosas del mundo y a nosotras mismas, porque en hecho de verdad se queda como sin sentido aquello poco que dura, que ni hay poder pensar aunque quieran; aquí no es menester con artificio suspender el pensamiento; hasta el amar, si lo hace, no entiendo cómo, ni qué es lo que amar, ni qué querría; en fin, como quien de todo punto ha muerto al mundo para vivir más en Dios, que así es una muerte sabrosa, un arrancamiento del alma de todas las operaciones que puede tener, estando en el cuerpo; deleitosa, porque aunque de verdad parece se aparta el alma de él para mejor estar en Dios, de manera que aún no sé yo si le queda vida para respirar (ahora lo estaba pensando y paréceme que no; al menos si lo hace no se entiende si lo hace); todo su entendimiento se querría emplear en entender algo de lo que siente, y como no llegan sus esfuerzos a esto, quédase espantado, de manera que, si no se pierde del todo no menea pie ni mano, como acá decimos de una persona que está tan desmayada, que nos parece está muerta...

"Dije que no era cosa soñada, porque en la morada que queda dicha, hasta que la experiencia es mucha, queda el alma dudosa de qué fue aquello, si se le antojó, si estaba dormida, si fue dado de Dios, si se transfiguró el demonio en ángel de luz. Queda con mil sospechas, y es bien que las tenga, porque —como dije— aun el mismo natural nos puede engañar allí alguna vez...

"Aquí, por agudas que son las lagartijas, no pueden entrar en esta morada; porque ni hay imaginación ni memoria ni entendimiento que pueda impedir este bien, y osaré afirmar que, si verdaderamente es unión de Dios, que no puede entrar el demonio ni hacer ningún daño; porque está Su Majestad tan junto y unido con la esencia del alma, que no osará llegar, ni aun debe entender este secreto...

"Parece que os dejo confusas en decir si es unión de Dios, y que hay otras uniones. ¡Y cómo si las hay! Aunque sea en cosas vanas, cuando se aman mucho, también los transportará el demonio; mas no con la manera que Dios, ni con el deleite y satisfacción del alma y paz y gozo. Es sobre todos los gozos de la tierra y sobre todos los deleites y sobre todos los contentos, y más que no tiene que ver a donde se engendran esos contentos o los de la tierra, que es muy diferente su sentir, como lo tenéis experimentado. Dije yo una vez que es como si fuesen en esta grosería del cuerpo o en los tuétanos, y atiné bien, que no sé cómo lo decir mejor..."

El matrimonio espiritual

Por las citas que preceden y las que hemos hecho a lo largo de este librito, habrá observado el lector que Teresa no hace más que traducir sus propios estados. Cierto es que había leído no pocos libros, pero fue sobre todo en la misma escuela de Dios donde realmente aprendió y documentó, pudiendo, incluso corregir algo de lo que antes de ella habían dicho ciertos autores. Ninguna teoría mística queda en lo abstracto; todo cuanto dice la mística Dóctora forma parte de su vida y cualquier biógrafo que quiera cumplir adecuadamente su cometido está obligado a profundizar en su alma para comprenderla y hacerla comprender.

Deliberadamente dejamos aparte todo lo referente a los éxtasis y visiones de la Santa. Seguramente no ocuparon mucha parte de su vida tales estados. De todas formas, no constituyen nada esencial y sería grave error atribuirles una importancia que nunca tuvieron. Fueron, ya lo hemos dicho, llamadas de Dios, signos discutibles para los teólogos, que no dejaron de escrutarlos y juzgarlos con toda la debida severidad. Fueron, a no dudar. manifestaciones capaces de dar a la Santa una indiscutible autoridad.

La verdadera grandeza de Teresa de Jesús, como la de los demás santos, estuvo en el grado de unión con Dios que le fue dado alcanzar. Por eso nos advierte ella misma que la perfección realizada en la séptima morada debe llamarse *matrimonio* místico o *espiritual*.

Oigámosla hablar de ello en su *Castillo interior*.

"Cuando nuestro Señor es servido haber piedad de lo que padece y ha padecido por su deseo esta alma, que ya espiritualmente ha tomado por esposa, primero que se consuma el matrimonio espiritual métela en su morada, que es esta séptima. Porque así como la tiene en el cielo, debe tener en el alma una estancia a donde sólo Su Majestad Mora, y digamos, otro cielo . . .

"Pues cuando Su Majestad es servido de hacerle la merced dicha de este divino matrimonio, primero la mete en su morada, y quiere Su Majestad que no sea como otras veces que la ha metido en estos arrobamientos (que yo bien creo que la une consigo entonces y en la oración que queda dicha unión), aunque no le parece al alma que es tanta llamada para entrar en su centro, como aquí en esta morada, sino a la parte superior. En esto va poco. Sea de una manera o de otra, el Señor la junta consigo, mas es haciéndola ciega y muda —como lo quedó San Pablo en su conversión— y quitándola el sentir cómo o de qué manera es aquella merced que goza, porque el gran deleite que entonces siente en el alma es de verse cerca de Dios, mas cuando la junta consigo, ninguna cosa entiende, que las potencias todas se pierden.

"Aquí es de otra manera. Quiere ya nuestro buen Dios quitarla las escamas de los ojos, y que vea y entienda algo de la merced que le hace —aunque es por una manera extraña—; y metida en aquella morada por visión intelectual, por cierta manera de representación de la verdad, se le mues-

158

tra la Santísima Trinidad, todas tres Personas, con una inflamación que primero viene a su espíritu a manera de una nueva de grandísima claridad, y estas Personas distintas, y por una noticia admirable que no se da al alma, entiende con grandísima verdad ser todas tres Personas una sustancia y un poder y un saber y un solo Dios; de manera que lo que tenemos por fe, allí lo entiende el alma —podemos decir— por vista, aunque no es vista con los ojos del cuerpo ni del alma, porque no es visión imaginaria. Aquí se le comunican todas tres personas y le hablan, y le dan a entender aquellas palabras que dice el Evangelio que dijo el Señor: que vendría Él y el Padre y el Espíritu Santo a morar con el alma que le ama y guarda sus mandamientos . . ."

Con tanto vigor realista se dice cuanto antecede, que bien puede afirmarse que está tomado de la propia vida. En la última parte de su existencia, Teresa vivió ese extraordinario estado, tan sólo conocido por los grandes santos y que ella denomina matrimonio espiritual, una palabra que la teología mística se apresuró a incorporar a su vocabulario.

Tal vez se pregunte el lector cómo podía ocuparse nuestra Santa, en tal estado, de las cosas exteriores. Ahí es donde, precisamente, radica el más profundo misterio de la vida mística en su cúspide. Teresa previó acertadamente la cuestión que acabamos de plantear.

"Pareceros ha que, según esto, no andará (el alma) en sí, sino tan embebida que no puede entender en nada. Mucho más que antes, en todo lo que es servicio de Dios, y en faltando las ocupaciones, se queda con aquella agradable compañía; y si no falta a Dios el alma, jamás Él le faltará

—a mi parecer— de darse a conocer tan conocidamente su presencia. Y tiene gran confianza que no la dejará Dios, pues la ha hecho esta merced, para que la pierda; y así se puede pensar, aunque no deja de andar con más cuidado que nunca, para no desagradarle en nada".

Teresa vivió constantemente perdida en Dios, pero sin mostrarse por ello menos activa en el servicio de Dios y bien de las almas. Como verdadera esposa, por el contrario, nunca estuvo más devorada por el celo de las almas. ¿Cómo podía ser así? Es lo que nos explica a continuación:

"El traer esta presencia entiéndese que no es tan enteramente, digo tan claramente, como se le manifiesta la primera vez y otras algunas que quiere Dios hacerle este regalo; porque si esto fuese, era imposible entender en otra cosa, ni aun vivir entre la gente; mas aunque no es con esta tan clara luz, siempre que advierte se halla con esta compañía, digamos ahora como una persona que estuviese en una muy clara pieza con otras y cerrasen las ventanas y se quedase a oscuras; no porque se quitó la luz para verlas y que hasta tornar la luz no las ve, deja de entender que están allí... Es de preguntar, si cuando torna la luz y las quiere tornar a ver, si puede. Esto no está en su mano, sino cuando quiere nuestro Señor que se abra la ventana del entendimiento; harta misericordia le hace en nunca se ir de con ella, y querer que ella lo entienda tan entendido".

Muchas páginas escribió Teresa sobre semejante unión, que fue tan habitual y permanente en ella, que no cabe una comparación más fiel que con el matrimonio espiritual.

160

Lo que acabamos de citar nos descubre algo del gran secreto de su santidad. Ojalá hayamos logrado despertar en nuestros lectores el deseo de documentarse más detalladamente en las obras de la Santa acerca de lo que la Sabiduría celestial quiso darnos a conocer por su medio.

En nuestro último capítulo vamos a seguirla en sus postreras luchas hasta su entrada en la gloria.

X. LOS ULTIMOS AÑOS. LA MUERTE
Y LA GLORIA

Ultimos toques

No nos sorprendemos de que la esposa estuviese asociada a la Cruz de su divino Esposo. Puede situarse alrededor del año 1572 la realización de lo que Teresa denominaría en 1577 matrimonio espiritual. Fue una visión, digamos, crucificadora.

En una relación del año 1572 dice la Santa que se le apareció el Señor, como otras veces, poniéndosele delante. Le dio la mano derecha y le dijo: "Mira este clavo: es la señal de que en lo sucesivo serás mi esposa. Hasta ahora no lo habías merecido. En adelante velarás por mi honor, y no sólo por ser tu Creador, tu Rey y tu Dios, sino como verdadera esposa. Mi honra es ahora la tuya y la tuya, la mía".

Según la Santa, dicha gracia fue tan grande que quedó como fuera de sí. Parecía haber perdido el conocimiento y dijo al Señor que la relevase de su bajeza y dilatara su alma o que no le concediera semejante gracia por juzgar que la naturaleza no podría resistirla. Estuvo todo aquel día muy absorta. Después tuvo la sensación de haber progresado mucho, pero se confundía y afligía por comprobar que no correspondía a tan altos favores.

Ya sabemos que los años que se sucedieron fueron los más dolorosos de su vida, pero no había encontrado antes tanta fortaleza, paz y alegría como en medio de las pruebas que le sobrevinieron.

La hemos seguido hasta el año 1580, fecha en la que disfrutaba la Orden de cierta calma y no estaba obligada la Santa a permanecer forzosamente en determinado convento, teniendo, por lo mismo, libertad de movimientos. También disfrutaba de igual libertad su gran amigo San Juan de la Cruz.

Pero Teresa se resentía en su vejez de todos los sufrimientos corporales que había experimentado y las consunciones propias del alma que suspira por volar a Dios.

El 24 de mayo de 1581 escribía al Padre Jerónimo Gracián: "que todo llueva sobre mí, que harto llueva ahora, según lo he sentido".

En noviembre aún continuaba la lluvia.

En el cuerpo sufría su *"perlesía"* y un continuo "mal de corazón". Debía tratarse de un estado de náuseas casi permanente. Padecía, además, una inflamación de la garganta. En la Navidad de 1577, estando en San José de Avila, sufrió una caída en la escalera, fracturándose el brazo izquierdo, cosa que la molestó muchísimo. No podía vestirse y tanto le costaba escribir, que tuvo que recurrir a una enfermera y diversas secretarias para el resto de su vida. Se hallaba, pues, casi imposibilitada. Los viajes que tuvo que realizar por aquellos años, le produjeron enormes molestias.

Por otra parte, también hubo de ocuparse bastante de su familia. Su hermano Lorenzo, algo más joven que ella, había vuelto de América y la Santa lo había tomado bajo su dirección. El hombre se mostraba dócil y afectuoso, y, como había logrado hacer fortuna, ayudaba generosamente al Carmelo. Pero murió de repente el 26 de junio de 1580 y Teresa, que se enteró del fallecimiento estando en Segovia, se afligió profundamente. "Esta muerte —escribía poco después— me deja en mayor soledad que la de cualquier otra persona... Ya véis qué pocos parientes nos quedan".

Y es que el amor de Dios, lejos de disminuir en los corazones el amor a la familia, le da, por el contrario, nuevo vigor y le confiere la dignidad de un sagrado deber.

Después de la muerte de Lorenzo tuvo que encargarse nuestra Santa de todo lo que lleva aparejada una sucesión embrollada y la ejecución de un testamento complicado. Y no significaron pequeñas cosas para Teresa, porque en el curso de la regulación de los asuntos familiares, sus afectos, de naturaleza tan delicada y elevada, chocaron con egoísmos, posturas inadmisibles, intransigencias y debilidades morales de los suyos que la hacían sufrir más que las de los extraños. En una carta de fecha 6 de enero de 1581 decía con gran tristeza: "Estoy tan cansada de parientes después que murió mi hermano, que no querría con ellos ninguna contienda".

Esta mezcla de alegrías furtivas y de prolongadas penas, se entrelazaba con los asuntos del Carmelo. Se había llegado, es cierto, a la solución justa en la guerra sostenida entre Reformados y Mitigados, consistente en la separación de unos y otros. Pero advertía que dentro de los respetos y de las atenciones de que daban muestras, había aparecido una cierta impaciencia en algunos religiosos reformados con respecto a ella. Para ciertos carmelitas descalzos la *Santa Madre*, como se le llamaba, no era más que una mujer vieja, y

Teresa notaba que se formaban en el seno de la reforma, que había llevado a cabo, diversos bandos que creaban conflictos y manifestaban tendencias opuestas. ¡Eso es lo humano! Para unos estaba la perfección en la austeridad llevada al extremo, mientras que para otros debían buscarse suavizaciones de acomodamientos. Teresa procuraba la unidad y la armonía de todos de la mejor manera posible, pero no siempre lograba evitar oposiciones personales, a veces más dolorosas que las de las ideas. D.os permitía que no siempre se hiciese entender. También permitía que ella no comprendiese siempre a sus discípulos más íntimos, pues parece que no previó el futuro que esperaba a Juan de la Cruz, cuyo nombre nos es en la actualidad inseparable del suyo, y sus escritos indispensables para mejor comprender e interpretar los de nuestra Santa. Así, pues, Dios mantuvo a su esposa en una especie de soledad moral, y parece que la escuchó en la expresión que ha perdurado a través de los siglos y que es de rigor citar tratándose de la mística Doctora: *"¡O padecer o morir!"*

¿No murió, acaso, Jesús en la cruz? ¿Qué de extraño tiene que sus esposas sufran también la crucifixión? Y ¿cómo no ver que almas como la de Teresa de Avila han de pasar por pruebas más delicadas y punzantes que las almas comunes?

Tratemos de dar una idea de ello.

Supremas purificaciones

Sus pruebas procedían, primeramente, de Dios. Teresa había conocido grandes alegrías. A lo largo de las páginas precedentes hemos sostenido que las visiones y revelaciones no tenían otro objeto que el de abrirle los caminos para su obra providencial. Ahora que la obra está concluida, no es extraño que desaparezcan de la vida de la mística Doctora. A finales de julio de 1582, al regresar de Burgos, hizo la siguiente confidencia, en Palencia, a un eminente dominico: "Ya no tengo las visiones y revelaciones con que antes me veía favorecida. Sólo me queda la presencia de Dios".

Pero había pruebas que le venían de parte de sus parientes o de sus hijas. El 26 de agosto de 1582, es decir, mes y medio antes de su muerte, escribía desde Valladolid: "Se espantaría de los trabajos que por acá tengo y negocios que me matan; mas todo lo puede Dios hacer". Pronto veremos que las dificultades debidas a la sucesión de su hermano no habían desaparecido, que una priora de la reforma, tomando partido contra ella, la expulsó de su convento, que otra, en Medina del Campo, tomó muy a mal una observación que debió hacerle. Con gran dolor reconocía que el demonio la enemistaba con sus hijas, antes tan obedientes. En una palabra, todo parecía conspirar contra ella. Le sobrevenía el tiempo de abandono que Jesús había sufrido en el Huerto de los Olivos. Desde 1580 se observan en sus cartas palabras tristes: "No sé para qué me deja Dios sino para ver muertes este año de siervos de Dios" (25 oct. 1580). "Yo no estoy ya para nada" (7 enero 1581). "A la pobre Lorenza (la propia Santa) todo la cansa" (24 mayo 1581). Esas expresiones denotan una laxitud. Teresa se iba apartando poco a poco de todas las cosas, o mejor dicho, Dios se encargaba de apartarla. Participaba de los sufrimientos morales que Jesús había tenido a bien padecer antes de que lo clavaran en la cruz: la traición de Judas; la negación de Pedro; la huida de los apóstoles. Teresa debía estar asociada a su divino Esposo. No estaba hecha para la tierra. La hora, —su hora, para hablar como Cristo— había llegado. Dios permitía abandonos en torno de ella para tenerla más estrechamente unida a El sólo.

La muerte

Hallándose en Medina del Campo, donde se había detenido en su camino de regreso de Burgos, hubiera querido Teresa llegar a su querida Avila para morir allí. Pero no se le concedió este último deseo. Una última obediencia reclamó su presencia en Alba de Tormes. El Padre Antonio de Jesús, que en ausencia del P. Gracián desempeñaba en Castilla las funciones de vicario provincial, le informó que la duquesa de Alba quería verla. La Santa obedeció, como siempre, pero con creciente dificultad física. El viaje fue de los más molestos para ella. Ya hemos dicho en el curso de este librito cómo eran los viajes por aquella época, por caminos intransitables y polvorientos, en carruajes sumamente incómodos, bajo un cielo inclemente. tan pronto sufriendo los ardores de un sol abrasador como pasando por agotadoras intemperies. Al cubrir la primera etapa, se sintió mala por la noche. Al llegar a Alba de Tormes en la segunda etapa debió meterse en cama. Era el 20 de septiembre de 1582. Se sentía abatida y sin fuerzas. "Qué cansada estoy, Señor y Dios mío ¡Hacía más de veinte años que no me acostaba tan temprano!"

Mas aún pudo levantarse los días sucesivos y seguir los ejercicios de la comunidad. Recibió algunas visitas, puso remedio a ciertos abusos que se le habían indicado y hasta pudo ir a ver a su hermana Juana de Ovalle, la más pequeña, que vivía en la ciudad. Pero parecía perseguirle el pensamiento de su próxima muerte, puesto que dijo a Juana: "No te preocupes hermana. Cuando mejore de salud, iremos a Ávila: allí es donde han de enterrarnos a todos en mi casa de San José".

Sin embargo, se equivocaba. El 29 de septiembre sufrió una hemorragia y se acostó, notando que iba a morir. Al día siguiente se confesó. Al fin recibió el santo Viático el 3 de octubre y el sacramento de la Extremaunción.

Se aproximaba la muerte. En un célebre pasaje dice san Juan de la Cruz que los Santos sufren, como los demás, enfermedades que los llevan al sepulcro, pero que no mueren de enfermedad, sino a causa de la intensidad de su amor.

"No hay que morir pasivamente —decía no ha mucho en su lecho de muerte un santo prelado francés—; se debe morir con fervor".

Prestemos, pues, especial atención a los últimos instantes de Teresa. Debemos recoger sus palabras como lo habían sido las de Jesús en la Cruz.

En primer lugar pidió perdón a sus hermanas de los malos ejemplos que hubiese podido darles. Se humilló en seguida ante Dios, expresando su total confianza en su divina misericordia mediante las palabras del salmo 50: "¡Cor contritum et humiliatum, Deus, non despicies!".

Lo que más le interesaba era testimoniar su entera sumisión a la Iglesia, que es la continuación del mismo Jesucristo: "Yo, Señor, soy hija de la Iglesia". Para comprender bien esto es preciso situarse en el cuadro de aquel tiempo. La Iglesia acababa de ser desgarrada por la revolución protestante. Uno de los más constantes pensamientos de Teresa, al fundar el Carmen reformado, había sido el de hacer contrapeso en la balanza mística del mundo, a los abandonos, traiciones, injurias y blasfemias de los rebeldes protestantes con respecto a la Iglesia católica.

Teresa hizo recomendaciones muy apremiantes a sus hijas para la obediencia perfecta a las constituciones y a los superiores canónicos.

Fue principalmente en el momento de recibir el santo Viático cuando se manifestó el gran impulso de amor, propio de la muerte de los santos:

"Señor mío y Esposo mío, ya ha llegado la hora tan deseada. ¡Ya es venido el tiempo de vernos, mi Bien Amado y Dueño mío! ¡Apresurémonos a partir y que se cumpla vuestra santa voluntad!"

En la mañana del 4 de octubre, hacia las siete, la enferma se acostó de lado con la cara vuelta a sus religiosas, teniendo un crucifijo en las manos. En su cuerpo se produjo entonces una verdadera transformación. Su rostro resplandeció con tal belleza que, al decir de una testigo presencial, sor María de San Francisco, nunca se le había visto tan bella. Le desaparecieron las arrugas. Guardaba silencio por estar toda ella absorta en su oración interior. Se notaba en ella una paz y una serenidad que eran más propias de la eternidad que de la tierra. A veces pasaban los rasgos fisonómicos de expresiones mudas de confusión y de humildad, a las de admiración y de clareo, como si se estableciese un misterioso diálogo entre ella y un ser desconocido, pero todo dentro de admirable serenidad. Se produjo, no obstante, una especie de alarma, que ha llegado a nosotros por medio de su fiel secretaria Ana de San Bartolomé:

"El día de su muerte, a partir de la mañana, quedó sin poder hablar. Hacia el obscurecer, el Padre que estaba junto a su cabecera, me dijo que fuese a tomar algo. Pero apenas salida de la estancia, la Santa pareció inquieta. Como mirase a uno y otro lado, el Padre le preguntó si deseaba que me encontrase presente e hizo señal afirmativa. Se me llamó y en cuanto me vio cerca de ella, se sonrió con mucha bondad y cariño, alargó las manos, tomó las mías y reposó su cabeza en mis brazos. La tuve abrazada hasta que exhaló el último suspiro... Gozosa y sonriente continuó su oración, abrazándose de amor por su Esposo".

Lanzó al fin tres especies de gemidos muy dulces, propios del alma que se une a Dios. Apenas fueron perceptibles y la Santa entregó su alma al Creador dando un suspiro de amor.

Preservación del cuerpo

La muerte de Teresa se recibió inmediatamente como un duelo de la Iglesia universal. Sabíase que hubiese deseado reposar en Avila, su ciudad natal. Pero Alba de Tormes logró guardar su cuerpo. De él se desprendía sin cesar un suave olor y Dios se ha dignado preservarlo de la corrupción hasta nuestros días. En realidad, para corresponder a los muchos deseos fue preciso mutilarlo. Por todas partes querían tener reliquias. En vano tuvieron cuidado las religiosas de Alba de Tormes de recubrir a cal y canto y tierra húmeda su sepulcro con el objeto de conservar mejor su preciado tesoro, antes de sellar la losa sepulcral, un misterioso perfume atravesaba la espesa capa protectora, embalsamando la capilla y todo el convento.

Esto perduraba al cabo de nueve meses, cuando el P. Jerónimo Gracián llegó al monasterio de Alba el 1o. de julio de 1583. Asombrado por tan desconocido olor, interrogó a las monjas y juntamente con ellas acordó proceder a la exhumación del cuerpo. Como se temía la fuerte oposición de la poderosa casa ducal de Alba, el mismo P. Gracián, ayudado por otro Padre que lo acompañaba, se encargó de efectuar la operación. Se necesitaron cuatro días enteros para lograr sus propósitos. Finalmente, el 4 de julio de 1583 se consiguió descubrir el féretro. Estaba dañado por un lado, apareciendo podrido por efecto de la tierra y el agua. La humedad había estropeado el vestido; el sayal de la Santa se caía a pedazos. El cuerpo presentaba una capa de mugre y algo de lodo verdinoso, pero absolutamente intacto: la carne era blanca, suave y flexible, como el día de su muerte, y de ella se desprendía el grato perfume que se notaba en el convento desde hacía nueve meses. De todos sus miembros destilaba gota a gota un misterioso aceite. Las monjas empaparon con él diversos lienzos que quedaron perfumados. El cinturón de cuero, que estaba muy impregnado, se envió al Carmen de Zaragoza, y el obispo de Tarazona, que lo vio 24 años más tarde, hizo constar bajo juramento que conservaba su perfume y que el aceite no se había secado.

Mientras el Padre Gracián comprobaba tales maravillas, las monjas lavaron el cuerpo de la Santa y le pusieron vestidos nuevos, dejando sin tocar únicamente la túnica interior, que había quedado intacta. Pero antes de colocar el cuerpo en un nuevo ataúd, el Padre, que deseaba llevar todos los restos a Avila, separó, como cumpliendo una promesa, la mano izquierda, para depositarla en el convento de San José de Avila.

Dos años después, por acuerdo del Capítulo general del Carmelo, el cuerpo fue trasladado en secreto a Avila, con excepción del brazo izquierdo, al que le faltaba la mano, que se dejó en Alba. Cuando la cosa se hizo pública, se entabló un pleito entre la casa de Alba, con mucha influencia en la Corte de Roma, y los carmelitas. El duque de Alba consiguió del Papa una orden para que se devolviese el cuerpo al convento de Alba de Tormes, lo que se realizó en agosto de 1586.

El último gran biógrafo de la Santa y editor de sus obras, el P. Silverio, tuvo el privilegio de ver el cuerpo en 1914, tal como ahora descansa en la capilla del Alba, con el corazón traspasado por la flecha del ángel de la Transverberación. Está momificado y sumamente frágil, pero no corrompido. Lo mejor conservado es su pie izquierdo, que sobresale ligeramente de su hábito carmelita. Es raro que los peregrinos, al ver un pie tan fino y elegante, dentro de la pequeña sandalia que calza, no digan extrañados: "¡Qué chiquito!"

La gloria

No son los hombres, sino únicamente Dios quien da la gloria. Sin embargo parece que la Providencia quiso anticipar en Teresa una muestra de los honores que reserva a sus amigos. Se ocupó, en primer lugar, de recopilar y publicar las obras de la Santa. Fray Luis de León, religioso agustino y doctor de la universidad de Salamanca, el primer poeta lírico español, se encargó de examinar los manuscritos que actualmente se encuentran en El Escorial. Fue el primero en reconocer lo que la Iglesia ha querido significar con el nombre de "doctrina celestial". Se indignó por las correcciones que manos indiscretas habían pretendido hacer en el estilo de Teresa y devolvió al texto toda su primitiva pureza. Se encargó de la impresión de las obras teresianas al mejor tipógrafo de Salamanca, Guillermo Foquel. Los libros aparecieron finalmente en 1586, con un prólogo de Fray Luis de León. Pero el libro de las *Fundaciones* no se publicó hasta el siglo siguiente. Apenas editadas las obras, se leyeron con avidez y cruzaron las fronteras españolas para traducirse a todas las lenguas.

Beatificación y canonización

La fama de santidad de Teresa era tan grande y tan notables fueron los prodigios verificados en torno a su tumba, que su causa de beatificación se introdujo muy pocos años después de su muerte. Mas las informaciones jurídicas no se terminaron hasta 1597. Ya es sabido el extremado cuidado que la Iglesia pone en ello. El rey de España Felipe II, los príncipes, las Cortes, los Grandes de España, las Universidades, las corporaciones municipales en gran número y todos los obispos de España y Portugal —entonces unido a España—, pidieron al Papa que abriera el proceso oficial de beatificación. Clemente VII consintió en ello. El proceso siguió su curso y el 24 de abril de 1614, el Papa Paulo V expedía el Breve de beatificación, fijando la fiesta el 15 de octubre. La fecha puede sorprender, puesto que la Santa murió el 4 de dicho mes, pero la reforma del calendario ordenado por Gregorio XIII entró en vigor precisamente al día siguiente de la feliz muerte de nuestra Santa, siendo, pues, el 15 en lugar del 5.

La causa se reanudó con miras a la canonización y ésta la pronunció el Papa Gregorio XV el 12 de marzo de 1622, es decir, el mismo día en que fueron declarados santos también Ignacio de Loyola, Francisco Javier, Felipe Neri e Isidro Labrador.

En el curso de la imponente ceremonia celebrada en S. Pedro de Roma, se pronunció el siguiente elogio de Sta. Teresa por un Secretariado papal:

"Coronada con los lirios de la virginidad y castigando su cuerpo con mortificaciones voluntarias, Teresa triunfó perpetuamente de las fuerzas demoníacas en el seno de la Iglesia militante. Se entretenía con la Sabiduría eterna en íntimos coloquios y penetraba en los divinos secretos. Hubiese ostentado la palma del martirio de no haber preferido el celestial Esposo reservarse el holocausto de su virginal corazón: sin derramamiento de sangre, fue una víctima por medio de las pruebas que hubo de soportar para devolver al Carmelo su antiguo esplendor".

El mismo pensamiento con respecto a la doctrina de Teresa se encuentra en la Bula de canonización, en la cual se dice:

"Dios la colmó del don de la inteligencia a fin de que no solamente dejase a la Iglesia de Dios los ejemplos de sus virtudes, sino que la regara con las aguas de la divina Sabiduría, componiendo sobre la teología y otros temas obras dictadas por la más tierna piedad, cuya lectura produce en las almas frutos abundantes de salvación y despierta un vivo deseo de la patria celestial".

El lector no habrá dejado de notar en el pasaje la clara alusión hecha por la Bula a la bella comparación utilizada por Teresa para explicar los grados de oración, la cual es como un huerto que puede regarse de cuatro maneras de progresiva perfección.

Entre los innumerables panegíricos que se han pronunciado de Teresa de Jesús desde hace tres siglos, sólo señalaremos dos.

De su acción en el seno de la Iglesia quedan hoy en día dos grandes cosas: de una parte, los monasterios carmelitas, y de otra, sus escritos místicos.

Los monasterios carmelitas reformados son actualmente 700, esparcidos por toda la redondez de la tierra, cincuenta de ellos en países de misión.

Para Bossuet, según su penegírico pronunciado en Metz el 15 de octubre de 1657, la obra reformadora del Carmelo fue lo principal.

"Sintiéndose llamada por la Providencia —dice el insigne predicador— a realizar la reforma de la antigua orden del Carmen, de tanto renombre en la Iglesia, creyó acabada la obra porque Dios se la había ordenado emprender. Es un increíble milagro ver los monasterios edificados por esta mujer. Pensad en una mujer pobre y desprovista de recursos que ha levantado casas religiosas donde viven las comunidades con perfecta regularidad, sin fondos para su subsistencia y sin créditos para conseguir su establecimiento. Todos los poderes se unían contra ella, quiero decir eclesiásticos y seglares, con una obstinación que les daba aspecto de invencibles. Todas las personas llenas de celo que Dios empleaba en su obra y hasta los más fieles servidores, desesperaban del éxito y así se lo decían abiertamente a la Santa Madre. Ella sola permanecía inalterable ante la aparente ruina de todos sus proyectos..."

Para el canónigo Marcel Lépée, que pronunció el panegírico de la Santa el 15 de octubre de 1937 en el carmelo de Moulins, son los escritos de la Santa el más precioso legado dejado por ella a la Iglesia:

"Recta, sencilla, basándose principalmente en el agudizado sentido de las realidades sobrenaturales y no en los éxtasis extraordinarios y con una lógica tan amplia como indiscutible, abrasada por el fuego que la fe alimenta y ordena, su piedad brilla cada vez más y despierta deseos de perfección. Tan grande es el atractivo que despierta, que leyendo sus obras no sólo se nos hace muy simpática su autora, sino que también nos sentimos encariñados con Dios, a quien tanto amó la Santa. Su pasión por ganar almas para Cristo, le hace ganarlas en su patria y en todo el mundo cristiano, mas no sólo en vida, sino por siglos enteros, hasta el fin de los tiempos. ¡Qué maravilla más grande! ¡Así son los verdaderos salvadores de almas!"

INDICE